CW00924907

Гарри Поттер

J.K. ROWLING

Harry Potter

AND THE
PHILOSOPHER'S STONE

Дж.К. Роулинг

Гарри Поттер

и философский камень

Перевод с английского
Марии Спивак

Москва
«Махаон»
2017

УДК 821.111-312.9-93
ББК 84(4 Вел)
Р79

Роулинг Дж.К.

Р79 Гарри Поттер и философский камень : Роман / Пер. с англ. М. Спивак. – М. : Махаон, Азбука-Аттикус, 2017. – 432 с.

ISBN 978-5-389-07435-4

Книга, покорившая мир, эталон литературы, синоним успеха. Книга, ставшая культовой уже для нескольких поколений. «Гарри Поттер и философский камень» – история начинается.

УДК 821.111-312.9-93
ББК 84(4 Вел)

ISBN 978-5-389-07435-4

Посвящается Джессике,
которая любит сказки,
и Энн, которая тоже их любит,
а еще – Ди, которая первой
услышала эту историю

Глава первая

Мальчик, который остался жив

Мистер и миссис Дурслей, из дома № 4 по Бирючинной улице, гордились тем, что они, спасибо преогромное, люди абсолютно нормальные. Трудно было вообразить, что они окажутся замешаны в делах необычных или загадочных – они не признавали всякой там чепухи.

Мистер Дурслей работал директором фирмы «Груннингс», которая выпускала сверла. Он был большой, грузный мужчина почти без шеи, зато невероятно усатый. Миссис Дурслей, тощая блондинка, обладала шеей удвоенной длины – и очень кстати, ибо эта леди часто и подолгу шпионила через забор за соседями. У Дурслеев имелся сынок по имени Дудли – и, по мнению родителей, на свет еще не рождался ребенок прекрасней.

У Дурслеев было все, чего можно пожелать, но не только; еще они хранили страшную тайну – и смертельно боялись, как бы кто-нибудь ее не раскрыл. Они бы, наверное, не пережили, если б кто-то узнал про Поттеров. Миссис Поттер доводилась миссис Дурслей родной сестрой, но они много лет не общались, и, правду говоря, миссис Дурслей помалкивала о сестричке, словно той и нет вовсе: ведь что она, что ее никчемный муженек – это же просто уму непостижимо! Чету Дурслеев в дрожь бросало при мысли о том, что скажут соседи, объявись Поттеры на их улице. Дурслеи знали, что у Поттеров тоже есть сын, но никогда его не видели. Из-за сына от Поттеров следовало держаться еще дальше – не хватало, чтобы Дудли водился с такими детьми.

Когда мистер и миссис Дурслей проснулись скучным и серым утром во вторник – с которого и начинается наша история, – ничто в пасмурном небе за окном не предвещало грядущих загадок и тайн. Мистер Дурслей гудел что-то себе под нос, выбирая на работу галстук поскучнее, а миссис Дурслей весело сплетничала, запихивая орущего Дудли в высокий детский стульчик.

Никто не заметил большой серой совы, пролетевшей за окном.

В половине девятого мистер Дурслей взял портфель, клюнул миссис Дурслей в щеку и попытался клюнуть на прощание и сына, но промахнулся, ибо тот расскандалился и вовсю расшвыривал овсянку по стенам.

– Лапуля моя, – курлыкнул мистер Дурслей и шагнул за порог. Он сел в машину и задним ходом вырулил на Бирючинную улицу.

Нечто странное он впервые заметил на перекрестке – там кошка изучала карту. Он сначала даже не понял, что это было, – но потом резко обернулся. На углу Бирючинной улицы действительно стояла полосатая кошка, но без карты. Прибредится же... Наверное, игра света. Мистер Дурслей моргнул и воззрился на кошку. Кошка воззрилась на него. Он уже выехал на главную дорогу, но следил за кошкой в зеркальце заднего вида. Та читала на указателе название улицы – то есть нет, она *смотрела* на указатель, кошки не умеют читать *ни* карты, *ни* указатели. Мистер Дурслей встряхнулся и решительно выкинул кошку из головы. И всю дорогу до города думал единственно о крупном заказе на сверла, который рассчитывал нынче получить.

Однако на подъезде к городу кое-что заставило мистера Дурслея позабыть и о сверлах. Стоя в ежедневной утренней пробке, он поневоле заметил, что кругом полно странно одетых людей. Людей в мантиях! Мистер Дурслей терпеть не мог вызывающей одежды – чего только на себя не напяливает нынешняя молодежь! Видно, мантия – последний писк какой-то кретинской моды. Он забарабанил пальцами по рулю, и взгляд его случайно остановился на кучке придурков, сгрудившихся совсем рядом. Те оживленно шептались, и мистер Дурслей с возмущением разглядел, что двое-трое в компании отнюдь не молоды! Наоборот, вон тот дед старше мистера Дурслея, а вырядился в изумрудно-зеленую мантию. Ни стыда ни совести! Но тут до мистера Дурслея дошло, что это какая-то хитрая уловка: видимо, сбор пожертвований... Да, наверняка. Машины наконец поехали, и через пару минут мистер Дурслей, весь в мыслях о сверлах, подкатил к стоянке «Груннингса».

В своем кабинете на девятом этаже мистер Дурслей всегда сидел спиной к окну.

Иначе тем утром ему было бы трудно сосредоточиться на работе. Он не видел, как мимо его окна одна за другой проносятся совы, – зато прохожие на улице видели; они раскрывали рты и тыкали вверх пальцами. Подумать, средь бела дня! Почти никому и ночью-то этих птиц видеть не доводилось. Рабочее утро мистера Дурслея между тем шло своим чередом, бессовно. Он наорал на пятерых подчиненных. Сделал несколько важных телефонных звонков. Поорал еще. А в обед, крайне довольный собой, решил выйти на улицу размяться и заодно купить булочку.

Он и не вспомнил бы про людей в мантиях, если бы возле булочной не наткнулся на новое сборище. Проходя мимо, мистер Дурслей гневно зыркнул на идиотов: они его почему-то нервировали. Компания, как и та, утренняя, о чем-то возбужденно шепталась – и, кстати, жестянок для пожертвований мистер Дурслей у них не приметил.

На обратном пути, сжимая в руке пакет с большим пончиком, он случайно услышал обрывки их разговора:

– Поттеры, все верно, именно так я и слышал...

– ...да-да, их сын, Гарри...

Мистер Дурслей замер. Его обуял страх. Он оглянулся и хотел было что-то сказать, но передумал.

Он помчался назад в контору, добежал до кабинета, рявкнул секретарше: «Не беспокоить!» – и почти уже набрал свой домашний номер, но вдруг остановился. Положил трубку, задумчиво погладил усы... Нет, это глупо. Поттер – не такая уж редкая фамилия. Наверняка существует масса людей по фамилии Поттер, у которых есть сын Гарри. Да и, если на то пошло, он не уверен, что племянника зовут Гарри. Он ни разу даже не видел мальчишку. Может, тот – Гаррет. Или Гарольд. К чему зря тревожить миссис Дурслей; чуть вспомнишь о ее сестре, бедняжка всегда расстраивается. Оно и понятно: если бы у *него* была такая сестра... Но все равно, эти мантии...

После обеда о сверлах думалось плохо, и, покидая контору в пять, взволнованный мистер Дурслей едва не сбил с ног прохожего.

– Извиняюсь, – буркнул он, не глядя на крохотного человечка, который споткнулся и чуть не упал. Мистер Дурслей не сразу осознал, что человечек одет в фиолетовую мантию.

При этом, чудом избежав падения, недомерок нисколько не огорчился. Напротив, весь просиял и воскликнул до того скрипуче, что на него обернулись прохожие:

– Не извиняйтесь, не извиняйтесь, дорогой сэр, ибо сегодня ничто не омрачит моего счастья! Возрадуйтесь: Сами-Знаете-Кто наконец сгинул! Сегодня даже у вас, муглов, должен быть великий, великий праздник!

Старичок приобнял мистера Дурслея за талию – и унесся прочь.

Мистер Дурслей прирос к асфальту. Его только что обнял совершенно незнакомый человек. И еще его, кажется, обозвали муглом – что бы это ни означало. Мистер Дурслей в изрядном замешательстве поспешил к машине и скорее поехал домой, очень надеясь, что у него попросту разыгралось воображение. Никогда еще он не надеялся на подобное раньше, ибо не одобрял воображения как такового.

Подъезжая к дому, он сразу увидел – и настроение его не улучшилось – давешнюю полосатую кошку. Та сидела на ограде у его собственного дома. Наверняка та же самая: точно те же отметины вокруг глаз.

– Брысь! – громко сказал мистер Дурслей.

Кошка не шелохнулась. Лишь строго на него посмотрела. «Это что, нормально для кошки?» – нервно подумал мистер Дурслей, но постарался взять себя в руки и вошел в дом. Он был твердо настроен не впутывать в это дело жену.

Миссис Дурслей провела день совершенно нормально. За ужином она подробнейше рассказала мистеру Дурслею о непослушной дочери миссис Пососедству и о том, что Дудли освоил новое выражение («Не хочу»). Мистер Дурслей старался вести себя как обычно. Когда Дудли наконец водворили в постель, мистер Дурслей отправился в гостиную к телевизору, как раз под конец выпуска новостей, и услышал:

– И последнее. Наблюдатели со всех концов страны сообщают, что сегодня совы вели себя весьма необычно. Эти птицы охотятся по ночам и практически никогда не выходят при дневном свете, однако сегодня были отмечены сотни случаев их появления. С самого рассвета совы так и сновали вокруг. Эксперты пока не находят разумного объяснения, отчего это совам вдруг вздумалось стать жаворонками... – Диктор позволил себе улыбнуться. – Крайне загадочно... Ну, а сейчас Джим Макгаффин с прогнозом погоды. Что, будут у нас вечером совопады, Джим?

– Об этом, Тед, – ответил метеоролог, – мне ничего не известно, однако сегодня не одни только совы вели себя неестественно. Телезрители Кента, Йоркшира, Данди – отовсюду – целый день звонили и сообщали, что вместо ливня, который я обещал вчера, у них прошел метеоритный дождь! Похоже, народ уже начал праздновать Ночь Гая Фокса. Рановато, друзья, она лишь на следующей неделе... Но, кстати, сегодня ночью дождь я гарантирую.

Мистер Дурслей так и застыл в кресле. Метеоритные дожди по всей Британии? Совы средь бела дня? Странные люди в мантиях? И еще этот шепоток – шепоток про Поттеров...

Миссис Дурслей вошла в гостиную с двумя чашками чая. Нет, так не годится. Надо ей рассказать. Он прокашлялся.

– Э-э-э... Петуния, дорогая... к слову... про сестру твою ничего не слышно?

Как он и ожидал, миссис Дурслей разволновалась и рассердилась. Ведь у них было принято делать вид, что никакой сестры не существует.

– Нет, – резко ответила она. – А что?

– Да тут всякую ерунду передают в новостях, – промямлил мистер Дурслей. – Совы... метеоритный дождь... а еще в городе полно чудны́х людей...

– И что? – перебила миссис Дурслей.

– Ну, я подумал... а вдруг... вдруг это как-то связано с... ну, ты понимаешь... с ее гоп-компанией.

Миссис Дурслей, поджав губы, тянула из чашки чай. Мистер Дурслей колебался: говорить или нет, что сегодня на улице он слышал имя Поттеров? Нет, пожалуй, он не осмелится. И он спросил как можно равнодушнее:

– А их сын... Он ведь по возрасту примерно как наш Дудли?

– Вроде бы, – процедила миссис Дурслей.

– А как там его? Говард?

– Гарри. Отвратное, простонародное имя!

– Да-да, – сказал мистер Дурслей. У него прямо-таки оборвалось сердце. – Абсолютно с тобой согласен.

Больше он ничего не сказал, и супруги отправились спать. Пока миссис Дурслей умывалась, мистер Дурслей на цыпочках подкрался к окну и выглянул в сад. Кошка по-прежнему сидела на ограде. Она внимательно смотрела на Бирючинную улицу и словно чего-то ждала.

Все-таки у него разыгралось воображение. Неужели и это связано с Поттерами? И если так... Если выплыло, что Дурслеи в родстве с... Нет, такого он просто не вынесет.

Супруги легли в постель. Миссис Дурслей уснула немедленно, а мистер Дурслей лежал и думал, думал. Впрочем, перед отходом ко сну одна мысль его успокоила: даже если Поттеры и причастны к происходящему, он и миссис Дурслей здесь ни при чем. Поттерам прекрасно известно, что он и Петуния их не жалуют... Не хватало еще вляпаться в какую-нибудь историю, если есть куда вляпываться, конечно. Он зевнул и перевернулся на бок. Они тут совершенно ни при чем...

Как же он ошибался!

Мистер Дурслей погружался в беспокойный сон, а кошка на садовой ограде даже не зевнула ни разу. Она сидела неподвижно, как статуя, и неотрывно следила за дальним въездом на Бирючинную улицу. Кошка не шелохнулась, ни когда на соседней улице хлопнула дверца машины, ни когда мимо пролетели две совы. Впервые кошка пошевелилась лишь около полуночи.

На углу, за которым она наблюдала, появился человек – так неожиданно, будто выскочил из-под земли. Кошка повела хвостом и сузила глаза.

Подобного человека Бирючинная улица еще не видывала. Он был высок, худ и очень стар, судя по серебристым волосам и бороде, до того длинным, что хоть затыкай за пояс. Одет он был в длинную мантию и ниспадавший до земли пурпурный плащ, а обут в башмаки с пряжками и на высоких каблуках. Голубые глаза ярко искрились под очками со стеклами-полумесяцами, а длинный нос был до того крючковат, будто его минимум дважды ломали. Звали этого человека Альбус Думбльдор.

Он, по всей видимости, не сознавал, что все в нем, от имени до башмаков, неприемлемо для обитателей Бирючинной улицы. Он озабоченно рылся в складках плаща и что-то искал. Но все же почувствовал, что за ним наблюдают, – и неожиданно вскинул взгляд на кошку, по-прежнему пристально смотревшую с другого конца улицы. Непонятно почему кошка позабавила его. Думбльдор хмыкнул и пробормотал:

– И как это я не догадался?

Он нашел во внутреннем кармане то, что искал: нечто вроде серебряной зажигалки.

Открыл, поднял, щелкнул. Ближайший уличный фонарь, тихо чпокнув, потух. Думбльдор снова щелкнул – и следующий фонарь, поморгав, погас. Двенадцать раз щелкал мракёр, и наконец на всей улице осталось лишь два далеких огонька – кошкины глаза, светившиеся в темноте. Никто, даже остроглазая миссис Дурслей, выгляни она сейчас на улицу, ничего бы не разглядел. Думбльдор сунул мракёр обратно под плащ и зашагал к дому № 4. Там он сел на ограду рядом с кошкой и, не оборачиваясь, сказал:

– Вот так встреча, профессор Макгонаголл.

Он хотел было улыбнуться полосатой кошке, но та исчезла. Вместо нее Думбльдор улыбался женщине довольно строгого вида, в квадратных очках той же формы, что и отметины вокруг кошкиных глаз. Женщина – тоже в плаще, но изумрудном, и с черными волосами, стянутыми на затылке в тугой пучок, – была явно на взводе.

– Как вы догадались, что это я? – спросила она.

– Моя дорогая, я ни разу не видел, чтобы настоящие кошки так каменели.

– Окаменеешь за целый день на холодном кирпиче, – ворчливо отозвалась профессор Макгонаголл.

– За целый день? Вместо того чтобы праздновать? По дороге сюда я видел по меньшей мере десяток пиршеств.

Профессор Макгонаголл недовольно фыркнула.

– О, конечно, все празднуют, – бросила она недовольно. – Казалось бы, надо поосторожней, так нет, даже муглы что-то заметили. Это было у них в новостях. – Она кивнула на дом Дурслеев и темное окно гостиной. – Я слышала. Стаи сов... метеоритный дождь... А что вы хотите, они же не дураки. Не могли не заметить. Метеоритный дождь в Кенте! Голову даю на отсечение, это фокусы Дедала Диггла. Никогда не отличался здравым смыслом.

– Ну-ну, не сердитесь, – мягко укорил Думбльдор. – За последние одиннадцать лет нам до обидного редко приходилось радоваться.

– Знаю, – раздраженно ответила профессор Макгонаголл. – Но это не повод терять голову. Все развеселились как дети! Разгуливают средь бела дня по улицам, даже не потрудившись одеться как муглы, и шушукаются о *таких* вещах!

Она пронзительно посмотрела на Думбльдора, словно надеясь что-то от него услышать, но он молчал, и она продолжила:

– Очень было бы интересно: Сами-Знаете-Кто сгинул, и тут как раз муглы узнают о нас!.. Он ведь и правда *сгинул*, да?

– Очень на то похоже, – ответил Думбльдор. – Так что у нас есть повод. Хотите лимончик?

– *Что?*

– Лимончик. Это такая мугловая карамелька, мне они очень нравятся.

– Нет, спасибо, – произнесла профессор Макгонаголл неодобрительно: до карамелек ли? – Так вот, хотя Сами-Знаете-Кто сгинул...

– Моя дорогая, вы же разумный человек и конечно же можете называть его по имени! А то – «Сами-Знаете-Кто»... Глупости! Одиннадцать лет добиваюсь, чтобы его называли настоящим именем: Вольдеморт.

Профессор Макгонаголл вздрогнула, но Думбльдор как раз отлеплял одну карамельку от другой и ничего не заметил.

– Все только запутывается от этого «Сами-Знаете-Кто». Не понимаю, почему все боятся произносить имя Вольдеморта.

– Вы-то не понимаете, – сказала профессор Макгонаголл с досадой и восхищением, – да только вы – не все. Известно ведь, что Сами-Знаете... Ну хорошо, что *Вольдеморт* вас одного и боится.

– Вы мне льстите, – спокойно ответил Думбльдор. – Вольдеморт умеет такое, до чего мне никогда...

– До чего вы никогда не опуститесь.

– Хорошо, что сейчас темно. Я так не краснел с тех пор, как мадам Помфри похвалила мои новые меховые наушники.

Профессор Макгонаголл пронзила Думбльдора острым взглядом:

– Совы – ерунда, пусть себе носятся. Но вот слухи... Слышали, о чем все говорят? Почему он сгинул? И чтó его в конце концов остановило?

Было видно, что именно это волнует ее больше всего. Из-за этого она целый день просидела на холодной каменной ограде – ни в обличии кошки, ни после она еще не смотрела на Думбльдора так пристально. Что бы ни говорили «все», она ничему не поверит, пока этого не подтвердит Думбльдор. Тот между тем выбирал новую карамельку – и не ответил.

– *Говорят*, – не сдавалась профессор Макгонаголл, – что прошлой ночью Вольдеморт объявился в Годриковой лощине. Пришел за Поттерами. И по слухам, Лили и Джеймс Поттеры... Лили и Джеймс... *погибли*.

Думбльдор склонил голову. Профессор Макгонаголл охнула.

– Лили и Джеймс... не могу поверить... не хотела верить... Как же так, Альбус...

Думбльдор похлопал ее по плечу.

– Ну-ну... ничего... – мрачно произнес он.

Профессор Макгонаголл продолжала, и голос ее дрожал:

– Это еще не все. Говорят, он пытался убить сына Поттеров, Гарри. Но – не смог. Не сумел убить маленького мальчика. Никто не знает, как и почему, но, говорят, когда ему не удалось убить Гарри, он вдруг словно бы потерял силу – и исчез.

Думбльдор хмуро кивнул.

– Это... правда? – Профессор Макгонаголл даже запнулась. – После всего, что он сделал... стольких погубил... не сумел убить ребенка? Поразительно... Чтобы именно это его остановило?.. Но как, во имя неба, Гарри выжил?

– Остается только гадать, – отозвался Думбльдор. – Может, никогда и не узнаем.

Профессор Макгонаголл достала кружевной платочек и промокнула глаза под очками. Думбльдор громко шмыгнул носом, вытащил из кармана золотые часы и сверился с ними. То были очень странные часы: двенадцать стрелок и никаких цифр на циферблате; вместо цифр по кругу двигались маленькие планеты. Тем не менее Думбльдору они, видимо, говорили о многом, потому что вскоре он убрал часы в карман и промолвил:

– Огрид запаздывает. Это ведь он вам сказал, что я буду здесь?

– Да, – ответила профессор Макгонаголл, – и, я думаю, вы вряд ли объясните, почему именно здесь?

– Я собираюсь отдать Гарри его дяде и тете. Других родственников у него не осталось.

– Что? Людям из этого дома? – вскричала профессор Макгонаголл, вскакивая с ограды и тыча пальцем в дом № 4. – Думбльдор, как же можно! Я наблюдала за ними весь день... Они – полная наша противоположность. А их сын!.. Видели бы вы, как он орал и пинал мать ногами на улице – конфет требовал! И чтобы Гарри Поттер жил с ними?..

– Здесь ему будет лучше всего, – твердо сказал Думбльдор. – Его дядя и тетя все ему объяснят, когда он немного подрастет. Я написал им письмо.

– Письмо? – слабым голосом переспросила профессор Макгонаголл, вновь опускаясь на ограду. – Думбльдор, вы и правда полагаете, что все это можно растолковать в письме? Таким людям его никогда не понять! Он будет знаменит – станет легендой – не удивлюсь, если в будущем сегодняшний день назовут Днем Гарри Поттера, – о нем напишут книги – его имя будет известно каждому ребенку!

– Именно. – Думбльдор серьезно поглядел на нее поверх очков. – И это любому вскружит голову. Еще ходить не умеешь, а уже знаменитость! Причем из-за того, о чем сам не помнишь! Разве вы не понимаете, насколько лучше, если он вырастет вдали от шумихи и узнает правду, лишь когда сможет сам во всем разобраться?

Профессор Макгонаголл хотела возразить, но передумала. Сглотнув, она сказала:

– Да-да, конечно, вы правы. Но как мальчик попадет сюда?

Она подозрительно оглядела плащ Думбльдора: не скрывается ли в складках ребенок?

– Огрид привезет.

– Полагаете, это... *разумно* – доверять столь важное дело Огриду?

– Я бы доверил ему свою жизнь, – ответил Думбльдор.

– Нет, он, конечно, человек добрый, хороший, – неохотно пояснила профессор Макгонаголл, – но, согласитесь, уж очень безалаберный. И его всегда так и тянет... Это еще что такое?

Низкий рокот взорвал тишину улицы. Думбльдор и профессор Макгонаголл заозирались, не понимая, откуда он приближается, и ожидая увидеть свет фар. Скоро рокот сделался оглушителен; они подняли головы к небу – и прямо оттуда на дорогу свалился огромный мотоцикл.

Мотоцикл был огромен, но казался крошечным под своим седоком, человеком раза в два выше и по крайней мере раз в пять толще обычного. Он был как-то непозволительно громаден и казался диким – кустистые черные лохмы и косматая борода, под которыми почти не видно лица, лапищи размером с крышку мусорного бака, ноги в кожаных сапогах, похожие на дельфинят-подростков. В громадных мускулистых руках гигант держал сверток из одеял.

– Огрид, – с облегчением сказал Думбльдор. – Наконец-то. Где ты взял мотоцикл?

– Позаимствовал, профессор Думбльдор, сэр, – ответил гигант, осторожно слезая с седла. – У юного Сириуса Блэка.

– По дороге никаких неприятностей?

– Нет, сэр. Дом раздолбало, но мальца удалось вытащить, пока муглы не понабежали. Он уснул над Бристолем.

Думбльдор и профессор Макгонаголл склонились над свертком. Внутри, еле видимый, спал младенец. Под угольно-черной челкой на лбу виднелся порез необычной формы – совсем как зигзаг молнии.

– Значит, сюда... – прошептала профессор Макгонаголл.

– Да, – отозвался Думбльдор. – Шрам останется на всю жизнь.

– А нельзя что-нибудь с этим сделать, Думбльдор?

– Даже если б и можно, я бы не стал. Шрамы бывают полезны. У меня, например, шрам над левым коленом – в точности схема лондонской подземки... Что же, давай ребенка сюда, Огрид. Дело есть дело.

Думбльдор взял Гарри на руки и повернулся к дому Дурслеев.

– А можно... можно с ним попрощаться, сэр? – попросил Огрид. Он склонил большую лохматую голову над Гарри и поцеловал малыша. Поцелуй, вероятно, был очень колкий. После этого Огрид вдруг завыл раненым псом.

– Ш-ш-ш! – зашипела профессор Макгонаголл. – Разбудишь муглов!

– И-и-извиняюсь, – всхлипнул Огрид. Он извлек откуда-то громадный крапчатый носовой платок и спрятал в нем физиономию. – Но я не могу-у-у! Лили с Джеймсом померли... А малыша Гарри отправляют к муглам...

– Да, да, это очень грустно, но ты уж возьми себя в руки, Огрид, не то нас заметят, – зашептала профессор Макгонаголл, осторожно похлопывая Огрида по руке.

Думбльдор меж тем перешагнул низенькую садовую ограду и направился к двери. Аккуратно положил Гарри на порог, достал из-под плаща письмо, сунул его в одеяльце и вернулся к своим. С минуту все молча глядели на крошечный сверток. Плечи Огрида вздрагивали, профессор Макгонаголл отчаянно моргала, а свет, обычно струившийся из глаз Думбльдора, как будто потух.

– Что ж, – сказал наконец Думбльдор. – Вот и все. Здесь нам больше делать нечего. Идемте праздновать?

– Ага. – Огрид еле мог говорить. – Мне еще надо байк Сириусу оттащить. Д'зданья, профессор Макгонаголл... профессор Думбльдор, сэр.

Утирая ручьи слез рукавом куртки, Огрид оседлал мотоцикл и пнул стартер; машина с ревом взвилась в воздух и скрылась в ночи.

– Надеюсь, скоро увидимся, профессор Макгонаголл, – кивнул Думбльдор. В ответ профессор Макгонаголл высморкалась в платочек.

Думбльдор развернулся и пошел прочь по улице. На углу он остановился и вытащил серебристый мракёр. Щелкнул всего раз, и двенадцать световых шаров мгновенно вкатились в уличные фонари. Вся Бирючинная улица вдруг засветилась оранжевым, и стало видно, как вдали за угол скользнула полосатая кошка. На пороге дома № 4 едва виднелся маленький сверток.

– Удачи тебе, Гарри, – пробормотал Думбльдор, развернулся на каблуках, шелестнув плащом, и исчез.

Легкий ветерок шевелил аккуратно подстриженные кустики Бирючинной улицы, тихой и опрятной под чернильными небесами. Где угодно, только не здесь можно было ждать загадочных и удивительных дел. Гарри Поттер в одеяле повернулся на другой бок, но не проснулся. В пальчиках он сжимал письмо и спал крепко, не подозревая, что он особенный, что он знаменитый, не ведая, что через несколько часов ему предстоит проснуться от воплей миссис Дурслей, которая выйдет на крыльцо с бутылками для молочника, и что следующие несколько недель его будет беспрерывно пихать и щипать двоюродный братец Дудли... Он не знал, что в это самое время люди по всей стране, собравшись на тайные празднества, поднимают бокалы и приглушенно восклицают: «За Гарри Поттера – мальчика, который остался жив!»

Глава вторая

Исчезнувшее стекло

Почти десять лет минуло с тех пор, как супруги Дурслей проснулись утром и нашли на крыльце собственного дома своего племянника, но Бирючинная улица осталась прежней. Солнце, встав, освещало все те же аккуратные садики, зажигало латунным светом табличку с номером четыре на двери дурслеевского дома и прокрадывалось в гостиную, очень мало переменившуюся с тех пор, как мистер Дурслей увидел по телевизору судьбоносные новости о совах. Лишь фотографии на каминной полке показывали, сколько воды утекло. Десять лет назад тут теснились снимки розового пляжного мячика в разноцветных чепчиках – но теперь Дудли Дурслей был далеко не младенец. С фотографий глядел упитанный светлоголовый мальчик: вот он впервые сел на велосипед, вот катается на карусели, играет с папой за компьютером, вот его обнимает и целует мама... И нигде – ни намека на то, что в доме живет еще один мальчик.

Гарри Поттер, однако, жил здесь до сих пор – и сейчас спал, хотя спать ему оставалось недолго. Тетя Петуния уже поднялась, и именно ее голос возвестил для Гарри наступление дня:

– Подъем! Вставай! Быстро!

Гарри так и подскочил в постели. Тетя забарабанила в дверь.

– Подъем! – верещала она.

Гарри услышал, как она прошла на кухню и брякнула сковородкой о плиту. Он перекатился на спину и попробовал вспомнить свой сон. Хороший такой сон. Будто бы он летал на мотоцикле. Кажется, прежде ему такое уже снилось.

Тетя снова оказалась за дверью.

– Ну что, встал? – грозно прокричала она.

– Почти, – отозвался Гарри.

– Шевелись! Надо приглядеть за беконом. Пригорит – убью! В день рождения Дудли все должно быть идеально.

Гарри застонал.

– Что? – рявкнула тетя Петуния из-за двери.

– Ничего, ничего.

У Дудли день рождения – как это он забыл? Гарри сонно вывалился из постели и стал искать носки. Те оказались под кроватью, и Гарри надел их, сначала вытряхнув паука. Пауков он не боялся, привык: в чулане под лестницей их водилась тьма-тьмущая, а как раз в чулане Гарри и спал.

Одевшись, он пошел через холл на кухню. Стола практически не было видно под коробками и свертками. Похоже, Дудли, как и хотел, получил в подарок и новый компьютер, и второй телевизор, и гоночный велосипед. Зачем ему гоночный велосипед, оставалось для Гарри загадкой: толстяк Дудли терпеть не мог шевелиться – разве лишь затем, чтобы кому-нибудь вмазать. Боксерской грушей чаще всего служил Гарри – если, конечно, его удавалось поймать. По виду не скажешь, но бегал Гарри очень быстро.

Возможно, из-за жизни в темном чулане Гарри был маловат и щупловат для своего возраста. А выглядел еще мельче и худее, поскольку всегда донашивал старую одежду за Дудли, большим и толстым, крупнее Гарри раза в четыре. У Гарри было худое лицо, острые коленки, черные волосы и ярко-зеленые глаза. Он носил круглые очки, перемотанные посередине скотчем – оправа часто ломалась, потому что Дудли то и дело бил Гарри по носу. В собственной внешности Гарри нравился один лишь тонкий шрам на лбу – в виде зигзага молнии. Шрам у него был, сколько он себя помнил, и, едва научившись говорить, Гарри первым делом спросил тетю Петунию, откуда тот взялся.

– Это из-за аварии, в которой погибли твои родители, – ответила тетя Петуния. – И не задавай дурацких вопросов.

Не задавай дурацких вопросов – первое правило спокойной жизни дома Дурслеев.

Дядя Вернон вошел в кухню, когда Гарри переворачивал бекон.

– Причешись! – рявкнул дядя вместо утреннего приветствия.

Примерно раз в неделю дядя Вернон взглядывал на Гарри поверх газеты и кричал, что мальчишке надо подстричься. Гарри стригли, наверное, чаще, чем всех остальных мальчиков в классе, вместе взятых, но толку не было никакого, ибо так у него росли волосы – во все стороны.

Когда на кухню в сопровождении мамы явился Дудли, Гарри уже бросил на сковородку яйца. Дудли был очень похож на дядю Вернона: такое же крупное розовое лицо, отсутствие шеи, те же водянистые голубые глазки и густые светлые волосы, ровной шапкой облеплявшие большую толстую голову. Тетя Петуния называла Дудли ангелочком – Гарри звал его «шпиг надел парик».

Гарри расставил тарелки с яичницей, что оказалось непросто; на столе почти не было места. Дудли тем временем подсчитал подарки. Лицо его помрачнело.

– Тридцать шесть, – сказал он, поглядев на родителей. – На два меньше, чем в прошлом году.

– Котинька, ты забыл посчитать подарочек от тети Марджи, видишь, вот он, под большой коробочкой от мамули с папулей.

– Ну хорошо, тридцать семь. – Дудли побагровел.

Сообразив, что грядет истерика, Гарри стал торопливо глотать бекон, а то как бы Дудли не перевернул стол.

Тетя Петуния, очевидно, тоже почуяла опасность и затараторила:

– И мы купим тебе еще *два* подарка, когда пойдем гулять, да? Как тебе такое, пончик? Еще *два* подарочка. Хорошо?

Дудли задумался. Что для него явно было непросто. И наконец медленно выговорил:

– Так что у меня будет тридцать... тридцать...

– Тридцать девять, конфеточка, – подсказала тетя Петуния.

– Ага. – Дудли плюхнулся на стул и схватил ближайший сверток. – Тогда ладно.

Дядя Вернон одобрительно хмыкнул:

– Медвежоночек знает себе цену – весь в папу. Молодчина, Дудли! – и взъерошил сыну волосы.

Зазвонил телефон. Тетя Петуния пошла ответить, а Гарри и дядя Вернон наблюдали, как Дудли распаковывает гоночный велосипед, видеокамеру, самолет с дистанционным управлением, шестнадцать новых компьютерных игр и видеомагнитофон. Он уже срывал обертку с золотых наручных часов, когда вернулась тетя Петуния, сердитая и озабоченная.

– Плохие новости, Вернон, – объявила она. – Миссис Фигг сломала ногу и не сможет с ним посидеть. – Тетя Петуния мотнула головой в сторону Гарри.

Дудли в ужасе разинул рот, зато сердце Гарри всколыхнулось от радости. Каждый год в день рождения родители устраивали Дудли праздник – брали его с кем-нибудь из друзей на аттракционы в парк, кормили гамбургерами или водили в кино. А Гарри на это время сдавали миссис Фигг, чокнутой бабке, которая жила через две улицы. Гарри терпеть не мог с ней оставаться. Там в доме воняло капустой, и она заставляла Гарри рассматривать фотографии кошек, которых за долгую жизнь у нее перебывало великое множество.

– И как быть? – Тетя Петуния возмущенно посмотрела на Гарри, словно все это было его рук дело. Тот понимал, что должен бы посочувствовать миссис Фигг, да только не мог себя заставить: ведь теперь впереди еще целый год без Снежинки, Пуфика, дяди Лапки и Хохлика!

– Давай позвоним Марджи, – предложил дядя Вернон.

– Не говори глупостей, Вернон, сам знаешь – она ненавидит мальчишку.

Дядя с тетей часто говорили о Гарри в его присутствии так, будто его нет рядом; точнее, так, будто он – какой-то мерзкий слизняк и не в состоянии их понять.

– А эта, как бишь ее, твоя подруга... Ивонна?

– В отпуске на Майорке, – отрезала тетя Петуния.

– Оставьте меня дома, – с надеждой предложил Гарри (он в кои-то веки сможет посмотреть по телевизору что захочется или даже поиграть на компьютере Дудли).

Тетя Петуния скривилась, точно разжевала лимон.

– Чтобы потом вернуться к руинам? – проворчала она.

– Я не взорву дом, – сказал Гарри, но его не слушали.

– Давай возьмем его в зоопарк... – медленно заговорила тетя Петуния, – ...и оставим в машине...

– Машина, между прочим, новая, я его там одного не оставлю...

Дудли громко зарыдал. Не по-настоящему, конечно, – он сто лет не плакал по-настоящему, – но знал, что, если как следует скривиться и завыть, мама сделает для него что угодно.

– Динки-дуди-дум, не плачь, мамочка не позволит ему испортить тебе праздник! – воскликнула тетя Петуния, обвивая руками шею сына.

– Я... не... хочу... чтоб... он... шел... с... нами! – голосил Дудли между притворными всхлипами. – Он в-вечно в-все портит! – И Дудли злорадно ухмыльнулся Гарри из-под маминых рук.

Тут раздался звонок в дверь.

– Боже мой, уже пришли! – в отчаянии вскрикнула тетя Петуния – и на пороге возник лучший друг Дудли, Пирс Полкисс, с мамой. Тщедушный, с крысиным лицом, Пирс обычно выкручивал руки тем, кому Дудли собирался вмазать.

Дудли сразу перестал плакать.

Через полчаса Гарри, не веря своему счастью, впервые в жизни ехал в зоопарк – рядом с Дудли и Пирсом, на заднем сиденье. Дядя с тетей так и не придумали, куда бы его сплавить, но перед отъездом из дома дядя Вернон отвел его в сторонку и прошипел, приблизив к нему огромное багровое лицо:

– Предупреждаю, парень: один фокус, одна-единственная твоя штучка – и ты не выйдешь из чулана до Рождества.

– Да я ничего и не собирался, – сказал Гарри, – честно...

Но дядя Вернон ему не поверил. Никто ему не верил, никогда.

Беда в том, что с Гарри часто происходило странное и убеждать Дурслеев, будто он тут ни при чем, было бесполезно.

Однажды, например, тетя Петуния, возмутившись, что Гарри опять вернулся из парикмахерской «будто не стригся вовсе», обкорнала его кухонными ножницами почти налысо и оставила только челку, «чтобы прикрыть этот гадкий шрам». Дудли чуть не лопнул от смеха, а Гарри всю ночь не спал – представлял, как завтра пойдет в школу, где его и так дразнили за мешковатую одежду и склеенные очки. Однако утром обнаружилось, что волосы снова отросли, будто их никто и не стриг, и Гарри на неделю упрятали в чулан, хоть он и пытался объяснить, что не может объяснить, как они отросли так быстро.

В другой раз тетя Петуния хотела обрядить его в омерзительный старый свитер Дудли (коричневый с рыжими помпонами). Но, чем сильней она старалась натянуть его на Гарри, тем стремительней уменьшался свитер, и в конце концов стало ясно, что он не налезет и на куклу. Тетя Петуния решила, что свитер, видимо, сел при стирке, и Гарри, к великому его облегчению, не наказали.

Зато, когда он неизвестно как очутился на крыше школьной столовой, ему пришлось туго. Дудли с дружками, по обыкновению, гонялись за ним, и вдруг оказалось, что Гарри сидит на трубе, чему сам он удивился не меньше прочих. Дурслеи получили сердитое письмо от его классной руководительницы, уведомлявшее, что мальчик лазит по крышам школьных построек. А мальчик всего лишь (как он пытался втолковать дяде Вернону через запертую дверь чулана) пытался запрыгнуть за мусорные баки, выставленные у столовой. Но его, наверное, подхватило и унесло сильным ветром.

Но сегодня ничего плохого не произойдет. И даже с обществом Дудли и Пирса можно смириться – ради счастья побыть не в школе, и не в чулане, и не в капустной гостиной миссис Фигг.

Дядя Вернон крутил руль и жаловался на жизнь тете Петунии. Он вообще любил жаловаться: подчиненные, Гарри, местный совет, Гарри, банк, Гарри – вот лишь несколько излюбленных его тем. Сейчас ему не угодили мотоциклы.

– ...носятся как полоумные, хулиганье, – буркнул он, когда мимо промчался мотоциклист.

– А я мотоцикл во сне видел, – вдруг вспомнил Гарри. – Он летал.

Дядя Вернон едва не врезался в идущую впереди машину. Он резко обернулся, напоминая лицом гигантскую свеклу с усами, и завопил:

– МОТОЦИКЛЫ НЕ ЛЕТАЮТ!

Дудли с Пирсом хрюкнули.

– Знаю, – согласился Гарри. – Но это же сон.

Он пожалел, что раскрыл рот. Хуже лишних вопросов для Дурслеев были только рассказы о вещах, действующих не так, как положено, пусть во сне или даже в мультфильме: Дурслеям сразу казалось, что у Гарри появляются опасные мысли.

Суббота выдалась очень солнечной, и в зоопарке было полно народу. Дудли и Пирсу купили по большому шоколадному мороженому, а потом – улыбчивая продавщица успела спросить, чего хочет Гарри, прежде чем его оттащили от ее тележки, – Дурслеям пришлось раскошелиться на дешевый лимонный лед и ему. Тоже неплохо, решил Гарри, облизывая мороженое и наблюдая за гориллой, чесавшей голову: ни дать ни взять Дудли, только волосы черные.

То было лучшее утро в жизни Гарри. Он предусмотрительно держался поодаль от остальных, чтобы Дудли и Пирс, которым к обеду зоопарк поднадоел, не вздумали обратиться к своему любимому занятию – колотить его. Они пообедали в ресторане прямо в зоопарке и, когда Дудли учинил скандал – якобы в десерте «Полосатый чулок» сверху слишком мало мороженого, – дядя Вернон купил ему другую порцию, а Гарри разрешили доесть первую.

Словом, все шло чересчур хорошо, а потому быстро закончилось.

После обеда они отправились в террариум. Внутри было темно и прохладно; вдоль стен тянулись освещенные витрины. За стеклом, меж камней и бревен, ползали, извивались, шныряли всевозможные змеи и ящерицы. Дудли с Пирсом хотели посмотреть здоровенных ядовитых кобр и толстых питонов, способных задушить человека. Дудли быстро отыскал самую большую змею. Она могла бы дважды обернуться вокруг машины дяди Вернона и сплющить ее в лепешку – только сейчас была не в настроении. Вообще-то она спала.

Дудли постоял, прижав нос к стеклу, поглядел на блестящие коричневые кольца, и заканючил:

– Пусть она поползает!

Дядя Вернон постучал по стеклу, но змея не шелохнулась.

– Постучи еще, – приказал Дудли.

Дядя Вернон громко забарабанил костяшками. Змея дрыхла.

– Ску-у-учно, – простонал Дудли и побрел прочь, загребая ногами.

Гарри подошел к витрине и вгляделся в змею. Он бы не удивился, если бы узнал, что та сдохла со скуки, – подумать, целый день болван за болваном, которые долбят по стеклу и не дают покоя! Хуже, чем спать в чулане – там колотит в дверь одна только тетя Петуния, и Гарри разрешают ходить по всему дому.

И вдруг змея открыла круглые глаза. Медленно, очень медленно подняла голову и уставилась ему прямо в лицо.

И подмигнула.

Гарри вытаращился на нее. Потом быстро огляделся: не видит ли кто. Никто не видел. Тогда он повернулся к змее и тоже подмигнул.

Змея качнула головой на дядю Вернона и Дудли, а затем возвела глаза к потолку. Ее взгляд ясно говорил: «*И так все время*».

– Понимаю, – пробормотал Гарри в стекло, хотя и не был уверен, что змея его слышит. – Небось достало?

Змея энергично кивнула.

– А ты вообще откуда? – полюбопытствовал Гарри.

Змея постучала хвостом по табличке у стекла. Гарри прочитал: «Боа-констриктор, Бразилия».

– Хорошо там, в Бразилии?

Боа-констриктор снова постучал по табличке, и Гарри прочел дальше: «Этот экземпляр выведен в зоопарке».

– Вот как? Значит, ты не был в Бразилии?

Констриктор потряс головой, и тут за спиной Гарри раздался оглушительный вопль, так что и он, и змея вздрогнули:

– ДУДЛИ! МИСТЕР ДУРСЛЕЙ! ИДИТЕ СЮДА! ПОСМОТРИТЕ НА ЗМЕЮ! ВЫ *НЕ ПОВЕРИТЕ*, ЧТО ОНА ВЫТВОРЯЕТ!

Дудли подбежал вразвалку.

– Прочь с дороги, ты, морда! – крикнул он, ткнув Гарри под ребра. От неожиданности Гарри упал на бетонный пол. Дальше все произошло до того быстро, что никто не успел ничего понять: только что Пирс с Дудли стояли, уткнувшись носами в стекло, а через секунду уже отскочили, взвыв от ужаса.

Гарри сел и ахнул: стеклянная витрина, ограждавшая вольер с боа-констриктором, исчезла. Огромная змея, стремительно развертывая кольца, ползла наружу. По всему террариуму люди с громкими воплями неслись к выходам.

Змея быстро и бесшумно скользнула мимо Гарри, и тот услышал – готов был поклясться, что услышал, – ее тихий, свистящий шепот: «Бразилия, жди меня... С-с-спас-сибо, амиго».

Смотритель террариума был в шоке.

– Стекло, – повторял он как попугай. – Куда делось стекло?

Директор зоопарка, ни на секунду не переставая извиняться, собственноручно заварил тете Петунии крепкого сладкого чая. Дудли и Пирс беспомощно что-то бормотали. Насколько видел Гарри, боа-констриктор, проползая мимо, всего-навсего слегка прихватил их за пятки, но, когда все расселись в машине, Дудли уже рассказывал, что питон едва не откусил ему ногу, а Пирс клялся, что его чуть не задушили. Но самое мерзкое – по крайней мере для Гарри – началось, когда Пирс, слегка успокоившись, заявил:

– А Гарри с ним разговаривал! Скажешь, нет, Гарри?

Дядя Вернон дождался, пока Пирса заберут, и взялся за Гарри. От злости он едва мог говорить. Выдавил только:

– Вон – в чулан – сиди – без еды, – и рухнул в кресло. Тетя Петуния побежала за бренди.

Позже Гарри лежал в чулане и мечтал о часах. Он не знал, сколько времени и все ли уже заснули. А до того не смел вылезти и пробраться на кухню хоть что-нибудь съесть.

Он жил у Дурслеев почти десять лет, десять несчастливых лет, с младенчества, с того дня, когда его родители погибли в автокатастрофе. Он не помнил себя в той машине. Иногда, подолгу сидя в чулане и сильно напрягая память, он словно бы видел ослепительную зеленую вспышку и ощущал жгучую боль во лбу. Видимо, это и было воспоминание об аварии, хотя непонятно, откуда взялась вспышка. Родителей он не помнил совсем. Дядя и тетя о них не говорили; спрашивать, разумеется, запрещалось. Их фотографий в доме не держали.

Малышом Гарри все мечтал о неведомом родственнике: вот он приедет и заберет его. Но такого не случалось. Кроме дяди и тети, у него никого не было. И все же иногда ему казалось (или он это придумывал?), что посторонние люди на улице его узнают. Очень, кстати, странные посторонние. Однажды они ходили по магазинам с тетей Петунией и Дудли, и какой-то крошечный человечек в фиолетовом цилиндре поклонился Гарри. После яростных расспросов, откуда Гарри знает этого типа, тетя волоком вытащила детей на улицу, так ничего и не купив. В другой раз, в автобусе, ему весело помахала рукой дикого вида старуха, вся в зеленом. А на днях некто лысый в длиннющем пурпурном плаще молча пожал ему руку и тут же ушел. Самым же странным было то, что все они исчезали при малейшей попытке их рассмотреть.

В школе у Гарри друзей не было. Все знали, что Дудли с приятелями терпеть не могут дурака Поттера с его мешковатой одеждой и разбитыми очками, а идти против Дудли и его компании никто не хотел.

Глава третья

Письма невесть откуда

Побег бразильского боа-констриктора обошелся Гарри дорогой ценой. К тому времени, когда его выпустили из чулана, уже начались летние каникулы и Дудли успел сломать новую видеокамеру, разбить радиоуправляемый самолет и при первом же выезде на гоночном велосипеде сбить с ног старую миссис Фигг, тащившуюся по Бирючинной улице на костылях.

Гарри радовался, что уроки кончились, но от Дудли и его приятелей, ежедневно являвшихся в гости, деться было некуда. Пирс, Деннис, Малькольм и Гордон, как на подбор – тупые здоровяки, охотно признавали своим вожаком Дудли, самого среди них здорового и тупого, и с радостью составляли ему компанию в любимом занятии «гоняем Гарри».

Гарри старался почаще уходить из дома, бродил по окрестностям и думал о новом учебном годе. Там, казалось ему, брезжил слабый лучик надежды. В сентябре ему предстояло идти в среднюю школу – впервые в жизни без Дудли. Того зачислили в частную школу «Смылтингс», где некогда учился и дядя Вернон. Туда же записали и Пирса Полкисса. Гарри же определили в «Бетонные стены», районную общеобразовательную школу. Дудли это страшно веселило.

– В «Бетонных стенах» в первый день всех макают головой в унитаз, – сообщил он Гарри. – Хочешь пойдем наверх, потренируемся?

– Нет, спасибо, – ответил Гарри. – Чего-чего, а твоей башки нашему бедному унитазу не переварить: его стошнит! – И убежал, пока до Дудли не дошел смысл сказанного.

Однажды в июле тетя Петуния с Дудли отправились в Лондон покупать форму для «Смылтингса», а Гарри остался с миссис Фигг, которая оказалась не так ужасна, как раньше. Выяснилось, что ногу она сломала, споткнувшись об одну из своих питомиц, и это несколько охладило ее любовь к кошкам. Миссис Фигг разрешила Гарри посмотреть телевизор и угостила ломтиком шоколадного торта – судя по вкусу, тот пролежал у нее не год и не два.

Тем же вечером в гостиной Дудли демонстрировал новую, с иголочки, форму. Мальчики в «Смылтингсе» носили бордовые фраки, оранжевые бриджи и плоские соломенные шляпы под названием «канотье». Кроме того, каждому полагалась шишковатая палка, чтобы лупить друг друга, пока не видят учителя. Это умение считалось крайне полезным для взрослой жизни.

Глядя на сына в новых бриджах, дядя Вернон охрипшим голосом произнес, что гордится им сейчас как никогда. Тетя Петуния разрыдалась и сквозь слезы пролепетала:

– Просто не верится, что это – наш крошечка Дудликин... Такой взрослый, такой красивый...

А Гарри ничего сказать не решился. Он с таким трудом сдерживал хохот, что у него, похоже, треснула пара ребер.

Наутро, когда Гарри вышел к завтраку, в кухне стояла отвратительная вонь. Шла она из большого цинкового корыта, водруженного на раковину. Гарри заглянул внутрь. В серой воде плавали какие-то грязные половики.

– Что это? – спросил он тетю Петунию. Та поджала губы – как, впрочем, всегда, на любые его вопросы.

– Твоя новая школьная форма, – ответила она.

Гарри еще раз посмотрел в корыто.

– Ой, – сказал он. – Я не знал, что она должна быть мокрая.

– Не идиотничай, – разозлилась тетя Петуния. – Я перекрашиваю для тебя старые вещи Дудли в серый цвет. Будет не хуже, чем у других.

Гарри сильно в этом сомневался, но почел за благо не спорить, сел за стол и постарался не думать о своем первом дне в «Бетонных стенах» – все, пожалуй, решат, будто он напялил старую слоновью шкуру.

Вошли Дудли с дядей Верноном и от неприятного запаха брезгливо сморщили носы. Дядя Вернон, по обыкновению, развернул газету, а Дудли грохнул на стол смылтингсовую палку, которую теперь повсюду таскал с собой.

От входной двери донесся шум: это почтальон сунул почту в прорезь, и на коврик упали конверты.

– Принеси почту, Дудли, – велел дядя Вернон из-за газеты.

– Пусть Гарри принесет.

– Принеси почту, Гарри.

– Пусть Дудли принесет.

– Ткни его палкой, Дудли.

От палки Гарри увернулся и пошел за почтой. На коврике лежали три послания: открытка от Марджи, сестры дяди Вернона, отдыхавшей на острове Уайт, бурый конверт, очевидно, со счетами, и – *письмо для Гарри*.

Он взял письмо и уставился на него; сердце, как большая струна, дрожало в груди. Никто никогда за всю жизнь не писал ему никаких писем. Да и кому бы? У него ни друзей, ни родственников. Даже в библиотеку не записан, и на грубые требования вернуть просроченные книги рассчитывать не приходится. И все же вот оно, письмо с адресом. Ошибки быть не может:

Суррей
Литтл Уинджинг,
Бирючинная улица, дом № 4,
Чулан под лестницей,
Мистеру Г. Поттеру

Конверт толстый, тяжелый, из желтоватого пергамента, адрес написан изумрудно-зелеными чернилами. Марки нет.

Перевернув конверт трясущимися руками, Гарри увидел на обратной стороне лиловую сургучную печать с гербом: лев, орел, барсук и змея вокруг большой буквы «Х».

– Чего застрял? – раздался голос дяди Вернона. – Проверяешь, нет ли бомб? – И он засмеялся собственной шутке.

Гарри вернулся на кухню, не сводя глаз с письма. Протянул дяде Вернону открытку и счета, а сам сел и начал медленно распечатывать желтый конверт.

Дядя Вернон рывком вскрыл счета, раздраженно фыркнул и переключился на открытку.

– Марджи заболела, – сообщил он тете Петунии, – съела какую-то морскую тварь.

– Пап! – закричал вдруг Дудли. – Пап, смотри, что это у Гарри?

Гарри почти уже развернул послание, тоже написанное на плотном пергаменте, но дядя Вернон грубо выдернул письмо у него из рук.

– Это *мое!* – закричал Гарри, пытаясь вернуть письмо.

– Кто станет тебе писать? – осклабился дядя Вернон, встряхивая письмо одной рукой, чтобы развернуть. Но, едва он глянул на текст, цвет его лица сменился с красного на зеленый быстрее, чем на светофоре. Впрочем, и зеленым дело не кончилось. Еще секунда – и лицо дяди Вернона посерело, как засохшая овсяная каша. – П-п-петуния! – воскликнул он сиплым шепотом.

Дудли попытался выхватить пергамент, но дядя Вернон вздернул письмо повыше. Тетя Петуния с любопытством взяла его у мужа из рук, прочла первую строчку и едва не упала в обморок. Она схватилась за горло и задушенно прохрипела:

– Вернон! Боже милосердный... Вернон!

Они смотрели друг на друга, словно позабыв о Гарри и Дудли. Однако последний не привык к невниманию и звонко ударил отца палкой по голове.

– Хочу прочитать письмо! – объявил он громко.

– Это *я* хочу прочитать письмо, – гневно сказал Гарри, – оно *мое!*

– Убирайтесь отсюда, оба! – просипел дядя Вернон, засовывая письмо в конверт.

Гарри не пошевелился.

– ОТДАЙТЕ ПИСЬМО! – закричал он.

– Покажите *мне!* – приказал Дудли.

– ВОН! – проревел дядя Вернон, за шкирку вышвырнул обоих мальчишек в холл и захлопнул кухонную дверь у них перед носом. Гарри и Дудли деловито и безмолвно подрались за место у замочной скважины. Победил Дудли, а Гарри, в очках, болтавшихся на одном ухе, лег на живот и стал подслушивать под дверью.

– Вернон, – говорила тетя Петуния дрожащим голосом, – посмотри на адрес... Откуда они знают, где он спит? Они что, следят за нами?

– Следят... шпионят... а то и подглядывают, – испуганно бормотал дядя Вернон.

– Но что же делать, Вернон? Написать им? Сообщить, что мы не желаем...

Гарри видел, как сияющие черные туфли дяди Вернона шагают взад-вперед по кухне.

– Нет, – решил наконец дядя, – мы их проигнорируем. Если они не получат ответа... Да, так лучше всего... мы ничего не станем делать...

– Но...

– В моем доме такому безобразию не бывать, Петуния! Мы ведь поклялись, когда оставили его у себя, что выбьем из него эту дурь?

В конце дня, вернувшись с работы, дядя Вернон совершил то, чего никогда раньше не делал, – посетил Гарри в чулане.

– Где мое письмо? – выпалил Гарри, едва дядя Вернон протиснулся в дверцу. – Кто мне пишет?

– Никто. Это письмо попало к тебе по ошибке, – отрывисто сказал дядя Вернон. – Я его сжег.

– Ничего не по ошибке, – сердито ответил Гарри. – Там в адресе мой чулан.

– ЦЫЦ! – рявкнул дядя Вернон, и с потолка свалилось два-три паука. Дядя несколько раз глубоко вдохнул и заставил себя улыбнуться, но улыбка вышла довольно мучительной. – Кстати, Гарри... насчет чулана. Мы с твоей тетей подумали... ты растешь... тебе тут неудобно... мы решили переселить тебя во вторую спальню Дудли.

– Зачем? – спросил Гарри.

– Давай без лишних вопросов! – гаркнул дядя. – Тащи барахло наверх, и пошустрее!

На втором этаже дома было четыре комнаты: спальня дяди Вернона и тети Петунии, гостевая (в ней обычно останавливалась Марджи, сестра дяди Вернона), спальня Дудли и еще одна комната для его вещей и игрушек, которые не помещались в первую. Гарри перенес туда свое имущество за один-единственный раз. Потом сел на кровать и осмотрелся. Почти все вокруг было поломано. Месяц назад купленная видеокамера валялась на игрушечном танке, которым Дудли как-то переехал соседскую собаку. В углу пылился первый личный телевизор Дудли, разбитый ногой за то, что отменили любимую передачу. Здесь же стояла большая птичья клетка, где раньше жил попугай, которого Дудли сменял в школе на настоящую пневматическую винтовку, лежавшую теперь на верхней полке с погнутым дулом – Дудли на нем неудачно посидел. Остальные полки были забиты книгами – и только книги выглядели нетронутыми.

Снизу доносился рев Дудли – он орал на маму:

– Не *хочу*, чтобы он там жил... Это *моя* комната... Выгоните его...

Гарри вздохнул и растянулся на кровати. Еще вчера он отдал бы что угодно за эту комнату. Сегодня же он предпочел бы чулан – и письмо.

Наутро за завтраком все вели себя непривычно тихо. Дудли был в шоке. Он вопил, колотил отца палкой, пинал мать, притворялся, что его тошнит, и даже разбил черепахой стекло в парнике, но комнаты обратно не получил. Гарри вспоминал вчерашний день и проклинал себя за то, что не прочитал письмо в холле. Дядя Вернон и тетя Петуния мрачно переглядывались.

Принесли почту. Дядя Вернон, явно старавшийся быть с Гарри полюбезней, послал за письмами Дудли. Тот направился к двери, колотя по чему попало своей палкой. Затем раздался крик:

– Еще одно! Бирючинная улица, дом № 4, Маленькая комнатка, мистеру Г. Поттеру...

Дядя Вернон с задушенным хрипом выпрыгнул из-за стола и понесся по коридору; Гарри – за ним. Дядя Вернон повалил на пол Дудли, чтобы силой вырвать письмо, а Гарри, ухватив дядю за шею, старался оттащить его от Дудли. Через несколько минут беспорядочной потасовки, в которой каждому изрядно досталось палкой, дядя Вернон наконец выпрямился, отдуваясь и победно сжимая письмо в руке.

– Вон к себе в чулан... то есть в комнату, – просипел он, обращаясь к Гарри. – Дудли, уйди... уйди, говорю.

Гарри кругами ходил по новому обиталищу. Кто-то знал не только о том, что он переехал, но и о том, что он не получил первого письма. Наверняка они напишут еще! А уж он постарается, чтобы письмо дошло. У него созрел план.

Утром старый будильник прозвенел в шесть утра. Гарри скорее выключил его и бесшумно оделся. Главное – никого не разбудить. Не зажигая света, Гарри прокрался вниз.

Он решил дождаться почтальона на углу Бирючинной улицы. Он на цыпочках шел по темному коридору, и сердце его колотилось как бешеное...

– А-А-А-А-А-А-А-А-А!

От ужаса Гарри подпрыгнул; он наступил на что-то большое и мягкое на коврике у двери – что-то *живое!*

Наверху зажегся свет, и Гарри, к своему ужасу, понял, что большим и мягким было дядино лицо! Дядя Вернон ночевал под дверью в спальном мешке, чтобы помешать планам племянника. Целых полчаса дядя орал на Гарри, а затем велел принести ему чашку чая. Гарри безутешно поплелся на кухню. Вернувшись, он обнаружил, что почту уже доставили – прямиком дяде на колени. Гарри разглядел целых три конверта, надписанных изумрудными чернилами.

– Это мне... – начал было он, но дядя Вернон демонстративно изорвал письма в клочья.

В тот день дядя Вернон не пошел на работу. Он остался дома и заколотил прорезь для писем.

– Понимаешь, – объяснял он тете Петунии сквозь гвозди во рту, – если они не смогут их *доставить*, то прекратят и присылать.

– Не уверена, Вернон.

– Мы не знаем, Петуния, как поведут себя эти люди – их мозги работают не как у нас, – сказал дядя Вернон и ударил по гвоздю куском фруктового кекса, который только что принесла ему тетя Петуния.

В пятницу Гарри пришло ни много ни мало двенадцать писем. В прорезь их опустить не смогли и просунули под дверь и в боковые щели, а еще несколько забросили в окошко туалета на нижнем этаже.

Дядя Вернон снова остался дома. Он сжег письма, а затем вооружился молотком и гвоздями и забил досками все щели входной двери и черного хода, так что никто уже не мог выйти наружу. За работой он напевал «на цыпочках со мной через окно, на цыпочках со мной через тюльпаны» и вздрагивал от малейшего шороха.

В субботу все пошло вразнос. Двадцать четыре письма для Гарри пробрались в дом свернутыми в трубочки внутри двух дюжин яиц, которые тетя Петуния приняла из рук озадаченного молочника через окно гостиной. Пока дядя Вернон, не зная, кому жаловаться, возмущенно звонил на почту и в молочную лавку, тетя Петуния измельчила письма в кухонном комбайне.

– Кому это ты так нужен? – удивлялся Дудли.

С утра в воскресенье дядя Вернон спустился к завтраку усталый и даже больной, но все-таки счастливый.

– По воскресеньям почту не носят, – весело сказал он, намазывая мармелад на газету, – так что никаких идиотских писем...

Тут что-то со свистом вылетело из печной трубы и стукнуло дядю по затылку. Из очага пулями полетели письма – тридцать, а то и сорок. Все пригнулись, один Гарри подскочил, стараясь поймать хотя бы одно...

– Вон! ВОН!

Дядя Вернон ухватил Гарри за пояс и выбросил в коридор. Тетя Петуния и Дудли вылетели из кухни, закрывая лица руками, и дядя Вернон захлопнул дверь. Слышно было, как письма сыплются из трубы, отскакивая от пола и стен.

– Значит, так, – сказал дядя Вернон с деланым спокойствием, нервно выдирая клочья усов, – чтобы через пять минут все были готовы. Мы уезжаем. Брать только самое необходимое. Без возражений!

С ободранными усами он выглядел так страшно, что никто и не решился возражать. Через десять минут, проломив себе путь сквозь заколоченные двери, они уже мчались на машине к шоссе. На заднем сиденье всхлипывал Дудли: он получил от отца подзатыльник за то, что задержал отъезд, пытаясь упихнуть в спортивную сумку телевизор, видеомагнитофон и компьютер.

Они мчались прочь, все дальше и дальше. Даже тетя Петуния не осмеливалась спросить, куда они едут. Время от времени дядя Вернон резко разворачивался и некоторое время ехал в обратном направлении.

– Избавиться от погони... хвоста... – бормотал он.

Они ни разу не остановились даже перекусить. К вечеру Дудли выл в голос. Ничего кошмарнее с ним в жизни еще не случалось. Он не ел, он пропустил по телевизору целых пять передач и – неслыханно! – за целый день не взорвал ни одного компьютерного пришельца.

Наконец на окраине большого города дядя Вернон затормозил у какой-то угрюмой гостиницы с видом на железную дорогу. Дудли и Гарри поселили в одном номере и уложили в кровати с волглыми, заплесневелыми простынями. Дудли быстро захрапел, а Гарри сидел на подоконнике, смотрел на свет фар проезжавших машин и гадал, что же происходит...

Завтракать пришлось лежалыми хлопьями и бутербродами с маринованными помидорами. Не успели они доесть, подошла хозяйка гостиницы.

– П'рстите, к'торый тут будет мистер Г. Поттер? Тут пр'шло 'коло сотни 'от таких 'от...

И показала им письмо изумрудным адресом вперед:

Кокворт
Гостиница «Рай под насыпью»
Номер 17
Мистеру Г. Поттеру

Гарри потянулся было за письмом, но дядя Вернон стукнул его по руке. Женщина смотрела на них.

– Я их заберу, – сказал дядя Вернон, быстро встал и вышел из столовой следом за хозяйкой.

– Милый, может, нам лучше вернуться домой? – осторожно спросила тетя Петуния много часов спустя.

Но дядя Вернон ее, похоже, не слышал. Понять, чего он ищет, никто не мог. Он завез их в лес, вышел, осмотрелся, потряс головой, снова сел в машину, поехал дальше. То же произошло и среди вспаханного поля, и на висячем мосту, и на самом верху многоэтажной стоянки.

– Папа сошел с ума, да? – тоскливо спросил Дудли у матери вечером того же дня.

Дядя Вернон привез их на берег моря, запер в машине и исчез.

Полил дождь. Крупные капли застучали по крыше. Дудли хлюпал носом.

– Сегодня понедельник, – пожаловался он матери. – «Великого Умберто» показывают. Я хочу ночевать где-нибудь с *телевизором.*

Понедельник. Гарри кое-что вспомнил. Раз сегодня понедельник – уж что-что, а дни недели Дудли, спасибо телевизору, знал прекрасно, – значит, завтра, во вторник, Гарри исполнится одиннадцать. И хотя от дня рождения Гарри ничего особенного не ждал – в прошлый раз, например, ему подарили вешалку для одежды и старые носки дяди Вернона, – но все же... Одиннадцать исполняется не каждый день.

Дядя Вернон вернулся улыбаясь. В руках он держал длинный тонкий сверток, но на вопрос тети Петунии, что это он купил, не ответил.

– Нашел идеальное место! – объявил он. – Все вылезаем! Пошли!

Снаружи было очень зябко. Дядя Вернон показывал в море, на далекую скалу. На ее вершине ютилась какая-то жалкая лачуга – уж точно без телевизора.

– Сегодня ночью обещают шторм! – злорадно воскликнул дядя и хлопнул в ладоши. – А этот джентльмен любезно согласился одолжить нам лодку!

К ним подковылял беззубый старикашка и с недоброй ухмылкой показал на утлую лодчонку, прыгавшую внизу в серостальных волнах.

– Я взял кой-какой провизии, – сказал дядя Вернон, – так что все на борт!

В лодке было смертельно холодно. Ледяные брызги и капли дождя заползали за воротник, пронизывающий ветер хлестал в лицо. Казалось, миновал не один час, прежде чем они добрались до скалы, где дядя Вернон, скользя и спотыкаясь, повел их к полуразвалившемуся дощатому пристанищу.

Внутри было отвратительно: пахло водорослями, ветер со свистом врывался в огромные щели между досками, в очаге пусто и сыро. И всего две комнатки.

«Провизия» дяди Вернона оказалась четырьмя бананами и пакетиком чипсов на каждого. Дядя попробовал развести огонь в очаге, но пустые пакеты лишь чадили и сморщивались.

– Вот письма бы пригодились, а? – бодро пошутил дядя.

Он пребывал в отличнейшем настроении – очевидно, был уверен, что сюда, к тому же в непогоду, никакому почтальону не добраться. Гарри про себя соглашался с дядей, но отнюдь не радовался.

Наступила ночь, и разразился обещанный шторм. Брызги высоченных волн били в стены лачуги, от свирепого ветра дребезжали грязные оконные стекла. Тетя Петуния нашла в другой комнате несколько полусгнивших одеял и устроила Дудли постель на изъеденном молью диванчике. Сама она вместе с дядей Верноном отправилась спать на продавленную кровать, а Гарри не осталось ничего другого, кроме как отыскать на полу местечко помягче и свернуться там под самым тонким и драным одеялом.

Ночь тянулась, шторм бушевал все сильней. Гарри не мог заснуть. Он дрожал и вертелся с боку на бок, стараясь улечься поудобнее. В животе урчало от голода. Храп Дудли заглушали раскаты грома, впервые раздавшиеся около полуночи. Подсвеченный циферблат часов на толстой руке Дудли, свисавшей с дивана, показывал, что через десять минут Гарри исполнится одиннадцать. Он лежал и смотрел, как, тикая, приближается его день рождения, – и гадал, вспомнят ли об этом родственники и где сейчас неизвестный автор писем.

Еще пять минут. Снаружи что-то громко затрещало. Не провалилась бы крыша, подумал Гарри. Хотя тогда, возможно, станет теплее. Четыре минуты. Вдруг они вернутся, а дом на Бирючинной улице будет так забит письмами, что уж одно-то он как-нибудь украдет?

Три минуты. Интересно, это море так бьет о камни? И – две минуты – что это за странный хруст и рокот? Может, скала рушится и уходит под воду?

Еще минута, и – одиннадцать лет. Тридцать секунд... двадцать... десять... девять... Разбудить, что ли, Дудли, пусть позлится... Три... две... одна...

БУМ!

Лачуга вздрогнула, и Гарри резко сел, уставясь на дверь. Снаружи кто-то стучал, требуя впустить.

Глава четвертая

Хранитель ключей

БУМ! Стукнули еще раз. Дудли подскочил.

– Где пушка? – глупо спросил он.

Сзади раздался грохот, словно кто-то упал с кровати, и дядя Вернон, буквально тормозя пятками, въехал в комнату. В руках он держал ружье – так вот что скрывалось в длинном свертке!

– Кто здесь? – выкрикнул он. – Учтите, я вооружен!

Короткая пауза, а затем...

ШАРАХ!

По двери вмазали с такой невероятной силой, что она слетела с петель и с оглушительным грохотом рухнула на пол.

На пороге стоял великан. Огромная физиономия почти совсем скрывалась в густой гриве спутанных волос и длинной неряшливой бороде, но глаза все-таки можно было рассмотреть: во всем этом волосяном буйстве они блестели, словно два больших черных жука.

Гигант протиснулся в хижину, сильно пригнув голову, и все равно подмел потолок своей несусветной гривой. Он наклонился, поднял дверь и без усилий поставил ее на место. Завывания бури поутихли. Гигант оглядел все собрание.

– Чайку́ можно, а? – попросил он. – Измотался как пес.

Он прошел к дивану, где, застыв от страха, сидел Дудли.

– Подвинься, жирный, – сказал нежданный гость.

Дудли взвизгнул и спрятался за спину матери, которая в свою очередь испуганно жалась за дядей Верноном.

– Ага, вот и Гарри! – воскликнул великан.

Гарри взглянул в суровое, дикое, темное лицо – и увидел вокруг глаз-жуков добрые морщинки. Великан улыбался.

– А я тебя вот таким помню, – показал руками он. – Скажите-ка: вылитый папаша, а глаза мамкины.

Дядя Вернон сипло втянул в себя воздух.

– Я требую, чтобы вы немедленно покинули этот дом, сэр! – вскричал он. – Это проникновение со взломом!

– Дурслей, дурындас, помолчи, – отмахнулся гигант. Он перегнулся через спинку дивана, отобрал у дяди Вернона ружье, с легкостью завязал его узлом и зашвырнул в дальний угол.

Дядя Вернон жалко пискнул – как мышь, на которую наступили.

– Короче, Гарри, – заговорил великан, отворачиваясь от Дурслеев, – с деньрожденьем тебя! Я тут притаранил кой-чего, только, кажись, сел на него по дороге – ну да ладно, все одно вкусно.

И вытащил из внутреннего кармана черного плаща слегка помятую коробку. Гарри дрожащими руками открыл ее и обнаружил внутри большой липкий шоколадный торт, на котором зеленой глазурью было выведено: «С днем рождения, Гарри!»

Задрав голову, Гарри посмотрел в лицо огромному человеку. Он хотел сказать спасибо, но это слово потерялось где-то на пути ко рту, и вместо «спасибо» он прошептал:

– Вы кто?

Великан хохотнул:

– Точно, не познакомились. Рубеус Огрид, хранитель ключей и вообще всех угодий «Хогварца».

Протянув громадную ладонь, он вобрал в нее руку Гарри до самого локтя и потряс.

– Ну, как с чайком-то? – напомнил он, потирая руки. – Кстати, и от чего покрепше тоже не откажусь.

Его взгляд упал на пустой очаг, где валялись съежившиеся пакетики из-под чипсов. Он фыркнул и склонился к очагу. Никто не заметил, что он такое сделал, но буквально через секунду за решеткой уже полыхал огонь. По отсыревшей хижине разлился уютный свет, и Гарри обдало теплом, словно он очутился в горячей ванне.

Гигант развалился на диване, который изрядно просел под его весом, и принялся выкладывать из карманов плаща всякую всячину: медный чайник, упаковку сарделек, кочергу, заварочный чайник, несколько щербатых кружек и бутылку янтарной жидкости, к которой основательно приложился, прежде чем заняться ужином. Вскоре в хижине аппетитно запахло сардельками – те весело потрескивали на огне. Пока Огрид трудился, все молчали, но, стоило ему снять с кочерги первые шесть сочных, пахучих, слегка подгоревших сарделек, Дудли встрепенулся. Дядя Вернон предостерег:

– Не бери у него ничего, Дудли!

Гигант презрительно фыркнул.

– Твоего кабанчика, Дурслей, больше откармливать ни к чему, так что угомонись.

И он протянул сардельки Гарри. Тот проголодался невыносимо и уж точно в жизни не ел ничего вкуснее, но все равно не сводил глаз с великана. А поскольку никто ему ничего не объяснял, он решился спросить сам:

– Извините, я так и не понял. Кто вы?

Гигант основательно отхлебнул чаю и утер рот рукой.

– Зови меня Огрид, – сказал он, – как все. Я уж говорил, я – хранитель ключей в «Хогварце». Про «Хогварц» ты, яс'дело, знаешь.

– Мм... нет, – признался Гарри.

Огрид остолбенел.

– Извините, – быстро добавил Гарри.

– *Извините?* – рявкнул Огрид, обращая грозный взгляд к Дурслеям, которые съежились и попятились в темноту. – Это уж *ихнее* дело – извиняться! Ну, письма до тебя не доходили, ладно. Но чтоб ребенок не знал про «Хогварц» – тут прям хоть караул кричи! Сам-то ты чего, никогда не интересовался, где твои предки всему обучились?

– Чему – всему? – не понял Гарри.

– ЧЕМУ ВСЕМУ? – громовым раскатом повторил Огрид. – А ну-ка обожди-ка!

Он вскочил. В ярости он, казалось, заполнил собой всю лачугу. Дурслеи вжались в стену.

– Это ж как же прикажете понимать?! – зарычал Огрид. – Стало быть, этот мальчонка – вот этот вот самый – не знает ничего – ничегошеньки – НИ ПРО ЧТО?!

Это уже чересчур, подумал Гарри. Он, в конце концов, ходит в школу, да и оценки у него неплохие.

– Ну, кое-что я знаю, – вмешался он. – Считать умею и прочее.

Огрид только отмахнулся:

– Про наш мир, я имею в виду. *Твой* мир. *Мой* мир. Мир *твоих родителей*.

– Какой мир?

Видно было, что Огрид готов взорваться.

– Дурслей! – грозно пророкотал он.

Дядя Вернон мертвенно побледнел и прошептал что-то вроде «тыры-пыры».

Огрид потрясенно смотрел на Гарри.

– Но должен ж ты знать про мамку с папкой, – сказал он. – Они же *знаменитые!* И ты сам – *знаменитый!*

– Что? Мои... мои мама и папа... они разве знаменитые?

– Не знает... не знает... – Огрид, запустив руку в волосы, ошарашенно уставился на Гарри. – И тебе не сказали, кто ты есть? – спросил он после долгой паузы.

Дядя Вернон вдруг набрался храбрости.

– Замолчите! – потребовал он. – Немедленно замолчите, сэр! Я запрещаю рассказывать мальчику что бы то ни было!

Человек и похрабрее Вернона Дурслея дрогнул бы под свирепым взором, которым наградил его в ответ Огрид; когда же великан заговорил, каждый звук буквально вибрировал от гнева.

– Ему не сказали? Не сказали, что было в письме, которое оставил при нем Думбльдор? Да я сам там был! Сам все видел! Яс'те, Дурслей? И ты все годы скрывал?

– Что скрывал? – возбужденно спросил Гарри.

– МОЛЧАТЬ! ЗАПРЕЩАЮ! – в панике завопил дядя Вернон.

Тетя Петуния задохнулась от ужаса.

– Ой, да увяньте вы оба, – презрительно бросил Огрид и провозгласил: – Гарри! Ты – колдун.

В лачуге повисло молчание. Только слышно было, как грохочет море и свищет ветер.

– Я – *кто?* – ахнул Гарри.

– Колдун, яс'дело, – повторил Огрид и вновь плюхнулся на диван, со стоном просевший еще ниже. – И оченно неплохой, ежели чуток натренируешься. С такими предками кем тебе еще быть? Короче, давай-ка уже прочитай письмецо.

Гарри протянул руку к вожделенному желтоватому конверту, адресованному «Море, Лачуга на скале, Жесткая половица, мистеру Г. Поттеру». Он развернул письмо.

«ХОГВАРЦ»
ШКОЛА КОЛДОВСТВА
и ВЕДЬМИНСКИХ ИСКУССТВ

Директор: Альбус Думбльдор
(Орден Мерлина первой степени,
Великий Влшб., Гл. Колдун, Верховный Авторитет,
Международная Конфедерация Чародейства)

Уважаемый мистер Поттер!

С радостью извещаем, что Вы приняты в Школу колдовства и ведьминских искусств «Хогварц». Список необходимой литературы и экипировки прилагается.

Начало занятий – 1 сентября. Ожидаем ответную сову не позднее 31 июля.

Искренне Ваша,

Минерва Макгонагалл

Минерва Макгонаголл,
заместитель директора

В голове у Гарри вспыхнул фейерверк вопросов – не поймешь, с какого начать. После некоторого раздумья он пролепетал:

– А что значит – «ожидаем ответную сову»?

– Ах ты, гангрен скоротечный, чуть не запамятовал! – воскликнул Огрид, хлопая себя по лбу с такой силой, что перевернул бы и груженую телегу; затем из очередного кармана он извлек сову – настоящую, живую, встрепанную сову, – длинное перо и пергаментный свиток. И, высовывая от усердия язык, нацарапал записку, которую Гарри прочитал вверх ногами:

Уважаемый профессор Думбльдор!
Вручил Гарри письмо.
Завтра едем за покупками.
Погода кошмарная.
Надеюсь, Вы здоровы.

Огрид

Великан скатал послание и отдал сове. Та сжала записку в клюве. Огрид отнес сову к дверям и швырнул наружу, в непогоду. Затем вернулся и сел на диван с таким видом, будто ничего особенного не совершил – вроде как поговорил по телефону.

Гарри осознал, что стоит с широко раскрытым ртом, и поспешно его захлопнул.

– О чем бишь я? – начал Огрид, но тут дядя Вернон, по-прежнему пепельно-серый от волнения, но ужасно сердитый, шагнул на свет и выкрикнул:

– Он не поедет!

Огрид фыркнул.

– И ты, мугло, конечно же его остановишь, – равнодушно проворчал он.

– Кто? – заинтересовался Гарри.

– Мугл, – пояснил Огрид. – Так мы зовем неволшебный люд. Тебе, бедняге, не подфартило: рос у таких мугловых муглов, каких еще поискать.

– Когда мы его взяли, поклялись искоренить эту чушь, – заявил дядя Вернон. – Поклялись истребить в нем эту пакость! Колдун! Скажите пожалуйста!

– Вы *знали?* – поразился Гарри. – *Знали*, что я... я – колдун?

– Знали?! – завизжала вдруг тетя Петуния. – Еще б нам не знать! Конечно, знали! Кем еще ты мог быть с такой мамашей! Моя треклятая сестричка тоже в свое время получила такое письмо и отправилась в эту вашу... *школу*... а потом являлась домой только на каникулы. И дальше вечно то лягушачья икра в карманах, то чашки превращаются в крыс! Я одна, одна видела, какая она... ненормальная! А родители знай восхищались: ах, Лили то, Лили се! Гордились – в семье ведьма растет! – Она перевела дыхание и завелась снова. Видно, ее уже очень давно распирало желание высказаться. – А потом, в школе, познакомилась с этим Поттером, и они взяли и поженились. Родился ты, и я, конечно, ни минутки не сомневалась, что ты станешь точно такой же... странный и... и... *ненормальный*, а потом, здрасьте-пожалста, ее взяли и укокошили, а тебя подсунули нам!

Гарри побелел. И, едва совладав с голосом, спросил:

– Укокошили? Вы же говорили, они погибли в аварии?

– В АВАРИИ? – Огрид возмущенно вскочил, и Дурслеи забились еще дальше в угол. – Да разве ж могла авария убить Лили с Джеймсом! Возмутительно! Безобразие! Гарри Поттер сам про себя не знает, хотя у нас любая малявка про него наизусть расскажет!

– Как это? Почему? – разволновался Гарри.

Огрид перестал злиться и как будто расстроился.

– Не ждал я такого, – сказал он тихо и тревожно. – Хоть Думбльдор и говорил, что тебя нелегко будет отсюда выцепить, что многого ты не знаешь. Ох, Гарри, Гарри... Не знаю, по мне ли работенка все тебе рассказать, но кто-то ведь должен... Не идти ж тебе в «Хогварц» недотепой... – Он бросил на Дурслеев недобрый взгляд. – Пожалуй, лучше всего ничего от тебя не скрывать. Правда, и я сам не все знаю, история темная...

Он сел и некоторое время смотрел в огонь, а после заговорил:

– Видно, начинать надо с... с того, которого звать... Нет, но это с ума сойти, что вы про него и не слыхивали, а у нас он...

– Кто?

– Ох... не люблю его имя произносить без крайней надобности. Никто не любит.

– Почему?

– Горгулья ему на голову! Боятся, вот почему, по сей день боятся. Ох, как же тяжко... Видишь ли, Гарри, был у нас один колдун... который потом... испортился. Вот прямо до хуже некуда. А звали его... – Огрид судорожно сглотнул: слова не шли с языка.

– Может, напишете на бумажке? – предложил Гарри.

– Не-е, я точно не знаю, как он пишется. Ладно: Вольдеморт. – Огрида передернуло. – Все, не заставляй повторять. Так вот, этот самый колдун лет двадцать уж как начал искать последователей. И, яс'дело, нашел – одни боялись, другие примазывались к сильному, потому что сила-то у него была, будьте покойны. Смутные стояли времена, Гарри. Никто не знал, кому верить, никто не решался подружиться с незнакомым колдуном или ведьмой... случались всякие жуткие истории. И мало-помалу стал он брать верх. Яс'дело, с ним пытались бороться – но тех он убивал. Жестоко. Оставалось одно надежное место – «Хогварц». Похоже, Сами-Знаете-Кто боялся только Думбльдора. Не отваживался захватить школу – по крайней мере тогда. Ну вот... А твои мамка с папкой колдуны были на славу, лучше я не встречал. Старшие старосты «Хогварца»! И почему Сами-Знаете-Кто ни разу не попытался перетянуть их на свою сторону? Загадка. Чуял, видать: не станут они с Темными Силами якшаться, они ж были с Думбльдором. Может, тем разом он хотел их уговорить... или, наоборот, с пути убрать... кто знает... Только десять лет назад, в Хэллоуин, заявился он в ту деревню, где вы жили. Ты был крохотулька, годик всего. Он вломился к вам в дом и... и... – Огрид осекся, вытащил из кармана ужасно грязный, крапчатый носовой платок и трубно высморкался. – Извиняюсь, – сказал он. – Но это так грустно! Любил я твоих предков, понимаешь, лучше людей не бывало... Ну а он... Ну... В общем, Сами-Знаете-Кто их убил... А потом – и тут-то вся тайна – он попробовал прикончить тебя. То ли чтоб свидетеля не оставлять, то ли просто убивать нравилось. Но не смог! Никогда не интересовался, откуда у тебя шрам на лбу? Это тебе не просто порез. Такое остается после очень сильных злых чар – ими ведь и родителей твоих, и самый ваш дом разнесло, – а на тебе не сработало! Потому ты и знаменит, Гарри. Кого он решал убить, все померли – кроме тебя. Он тогда лучших угробил – и Маккиннонов, и Боунсов, и Пруиттов, – а ты, малявка, взял да и выжил...

Гарри вдруг пронзила боль. Его будто бы вновь ослепила зеленая вспышка, и она была гораздо ярче, чем вспоминалась раньше, и – такое случилось впервые – он вспомнил еще одно: холодный, пронзительный, жестокий смех.

Огрид смотрел на него печально.

– Я самолично вынес тебя из развалин. Думбльдор приказал. Привез тебя к этим вот...

– Полнейшая белиберда! – воскликнул дядя Вернон. Гарри вздрогнул: он успел начисто забыть о Дурслеях. К дяде Вернону, похоже, вернулась обычная самоуверенность. Он вызывающе глядел на Огрида и сжимал кулаки. – А теперь послушай меня, юноша, – раздраженно бросил он. – Я согласен, в тебе есть что-то странное – ничего, впрочем, особенного, хорошая добрая порка – и все пройдет, но вот твои родители действительно были психи. Без таких в мире только лучше, да и получили они по заслугам: чего и ждать, когда якшаешься с колдунами? Я ведь говорил, что так будет, что они сдохнут под...

Огрид не выдержал и, вскочив, выхватил из-под плаща потрепанный розовый зонтик. Наставив его на дядю Вернона, будто шпагу, гигант отчеканил:

– Предупреждаю, Дурслей, предупреждаю – еще слово...

Перед этим надвигающимся на него розовым вертелом дядя Вернон растерял решимость – он распластался по стене и затих.

– То-то. – Огрид, сопя, снова опустился на диван, который на этот раз просел до самого пола.

У Гарри меж тем зрели все новые вопросы.

– А что случилось с Воль... извините – с Сами-Знаете-Кем?

– Хороший вопрос, Гарри. Исчез. Испарился. Сразу, как пытался тебя убить. Оттого ты еще знаменитей. Загадка, понимаешь, из загадок... Он ведь тогда забирал все больше силы, больше власти – с чего ему исчезать? Кто говорит – помер. Вот уж бред! В нем небось и человеческого-то не осталось, помереть нечему. Другие думают, он еще где-то здесь, вроде как выжидает, но я и в это не верю. Его приспешники вернулись к нашим. Как бы вышли из транса. А не смогли бы, сохрани он хоть какую силу... Я так мыслю: он жив и сидит себе где-то тихо, но колдовской дар потерял. Слишком ослаб, не до борьбы ему. Чего-то в тебе этакое его и прикончило. Той ночью все у него пошло наперекосяк – пес знает, что именно, – но только чего-то в тебе его добило, это факт.

Огрид смотрел на Гарри ласково и даже уважительно, но Гарри это вовсе не польстило. Наоборот, ему стало ясно, что все это – чудовищная ошибка. Он – колдун? Да как это может быть? Всю жизнь его мучил Дудли, тиранили дядя Вернон и тетя Петуния... Будь он и в самом деле колдун, они бы превращались в жаб с бородавками всякий раз, как запирали его в чулане! Если когда-то он победил самого могущественного чародея на свете, почему Дудли вечно пинал его, как футбольный мячик?

– Огрид, – тихо проговорил он, – мне кажется, вы ошиблись. По-моему, я никакой не колдун.

К его удивлению, Огрид только хохотнул.

– Не колдун, значит? И что, никогда ничего не делалось по-твоему, когда ты, к примеру, сердился или пугался?

Гарри посмотрел в огонь. А ведь и впрямь... все странное происходило, именно когда он злился или пугался... За ним гонялся Дудли с дружками – и он внезапно, непонятно как, очутился на крыше... Не хотел идти в школу с жуткой стрижкой – и волосы отросли за ночь... А в самый последний раз, когда Дудли его толкнул, он отомстил, сам того не сознавая, – напустил на него боа-констриктора...

Гарри улыбнулся Огриду. Тот просто лучился от радости.

– Чуешь? – подмигнул Огрид. – Гарри Поттер – не колдун! Ха! Погоди, еще станешь гордостью «Хогварца».

Но дядя Вернон не собирался сдаваться без боя.

– Я же сказал: он туда не пойдет, – зашипел он. – Он отправится в «Бетонные стены» и еще нам спасибо скажет. Читал я ваши письма! Ему понадобится всякая чушь – книги заклинаний, волшебная палочка и...

– Ежели он чего захочет, всякое мугло ему не помеха, – зарычал Огрид. – Не пустить сына Лили и Джеймса Поттеров в «Хогварц»? Сдурели? Да он туда записан с рождения. Он идет в лучшую на свете Школу колдовства и ведьминских искусств. Семь лет – и он сам себя не узнает. Будет учиться с такими же, как сам, и у самого лучшего директора, Альбуса Думбльд...

– Я НЕ СТАНУ ПЛАТИТЬ ЗА ТО, ЧТОБЫ КАКОЙ-ТО СТАРЫЙ БОЛВАН УЧИЛ ЕГО КОЛДОВСКИМ ШТУЧКАМ! – заорал дядя Вернон.

Но он наконец зашел слишком далеко. Огрид схватил зонтик и крутанул им над головой.

– НЕ СМЕТЬ, – загремел он, – ОСКОРБЛЯТЬ – АЛЬБУСА – ДУМБЛЬДОРА – В МОЕМ – ПРИСУТСТВИИ!

И он указал зонтиком на Дудли. Полыхнуло фиолетовым, что-то треснуло, раздался визг – и Дудли затанцевал на месте, прижимая руки к толстому заду и скуля от боли. Когда он повернулся спиной, в прорехе штанов стал виден завиток поросячьего хвостика.

Дядя Вернон взвыл. Быстро втащив тетю Петунию и Дудли в другую комнату, он бросил на Огрида затравленный взгляд и захлопнул за собой дверь.

Огрид посмотрел на зонтик и почесал бороду.

– Не след мне выходить из себя, – горестно пробормотал он, – ну, да все одно не сработало. Думал обратить его в свинью, так, видно, он и без того уж свинья, ничего и не сделалось. – Из-под косматых бровей он искоса посмотрел на Гарри. – Буду признателен, если ты про это в «Хогварце» не расскажешь, – попросил он. – Я... мне... м-м... Нельзя мне магией заниматься, говоря по чести. Правда, чтоб тебя выследить, кой-чего разрешили – письмо доставить и прочее... Я вообще потому так за это дело и ухватился...

– А почему вам нельзя заниматься магией? – спросил Гарри.

– Ох! Так я ж и сам учился в «Хогварце», но меня, по правде сказать, это... турнули. На третий год. Сломали волшебную палочку пополам, все чин чином. Но Думбльдор разрешил остаться лесником. Хороший он человек, Думбльдор.

– А за что вас исключили?

– Поздно уж, а завтра дел невпроворот, – громко ответил Огрид. – В город надо, книжки покупать и прочее. – Он снял черный плащ и бросил его Гарри. – На-ка, прикорни под ним, – сказал он. – И не пугайся, ежели он зашевелится, у меня там, кажись, в кармане сони дрыхнут.

Глава пятая

Диагон-аллея

Наутро Гарри проснулся рано. Он понимал, что уже светло, но глаз не открывал.

«Это сон, – убеждал он себя. – Мне приснился великан Огрид, который приехал сообщить, что я иду в школу колдунов. А сейчас я открою глаза и окажусь дома в чулане».

Вдруг громко постучали.

«Вот и тетя Петуния», – подумал Гарри с упавшим сердцем, по-прежнему не открывая глаз. Такой хороший был сон.

Тук. Тук. Тук.

– Ладно, – пробормотал Гарри. – Встаю.

Он сел, и с него свалился тяжелый плащ Огрида. Лачугу заливал солнечный свет, шторм стих. Огрид спал на проваленном диване, а в окно когтистой лапкой стучала сова с газетой в клюве.

Гарри вскочил. Его так распирало от счастья, словно он проглотил огромный воздушный шар. Он распахнул окно. Сова ввалилась внутрь и сбросила газету на Огрида, но тот и не подумал просыпаться. Сова спорхнула на пол и принялась трепать плащ Огрида.

– Перестань.

Гарри попытался прогнать сову, но та угрожающе щелкала клювом и продолжала трепать плащ.

– Огрид! – громко позвал Гарри. – Тут сова...

– Заплати, – промычал Огрид в диван.

– Что?

– Ей надо заплатить за доставку. В карманах глянь.

При ближайшем рассмотрении оказалось, что плащ почти целиком состоит из карманов, а в них – связки ключей, гранулы против слизняков, мотки веревок, мятные леденцы, чайные пакетики... Наконец Гарри вытащил горсть монеток странного вида.

– Дай ей пять кнудов, – сонно пробурчал Огрид.

– Кнудов?

– Маленькие бронзовые.

Гарри отсчитал пять маленьких бронзовых монеток, сова протянула лапку –

на ней болтался маленький кожаный кошелек. Гарри положил туда деньги, и сова улетела в открытое окно.

Огрид громко зевнул, сел, потянулся.

– Пора двигать, Гарри, делов на сегодня пропасть: в Лондон надо поспеть, купить чего тебе там требуется для школы.

Гарри вертел в руках колдовские монетки. Ему только что пришла в голову одна мысль; из-за нее воздушный шарик внутри слегка сдулся.

– Э-э-э... Огрид?

– А? – отозвался Огрид, натягивая огромные сапоги.

– У меня ведь нет денег... Дядя Вернон вчера сказал, вы сами слышали... Он не станет платить за учебу.

– Про это не переживай, – сказал Огрид, вставая и почесывая голову. – Думаешь, родители тебе ничего не оставили?

– Но ведь их дом разрушили...

– А золото они, по-твоему, в чулке держали? Как бы не так. Короче, первым делом – в «Гринготтс». Колдовской банк. Съешь сардельку, они и холодные ничего... А я, пожалуй, и от твоего тортика не откажусь.

– У колдунов бывают банки?

– Только один. «Гринготтс». Им гоблины управляют.

Гарри уронил сардельку.

– *Гоблины?*

– Ага – и, доложу тебе, нет на свете полоумных, которые решились бы этот банк грабить. С гоблинами шутки плохи, Гарри. Ежели чего прятать, «Гринготтс» – самое надежное место на земле... ну и, может, еще «Хогварц». Мне, между прочим, в «Гринготтс» так и так надо было. Думбльдор поручил. По школьным делам. – Огрид приосанился. – По важным поводам он обычно меня посылает. Тебя вот привезти... или чего другое из «Гринготтса»... Доверяет, ясно?.. Ну, собрался? Тогда потопали.

Гарри вслед за Огридом вышел на скалу. Небо совсем прояснилось, и море сверкало на солнце. Лодка, нанятая дядей Верноном, по-прежнему стояла внизу, полная воды после шторма.

– А как вы сюда попали? – спросил Гарри, оглядываясь: должна же быть еще одна лодка?

– Прилетел, – ответил Огрид.

– *Прилетели?*

– Угу, но обратно поплывем. Теперь со мной ты, колдовать больше нельзя.

Пока они усаживались в лодку, Гарри не спускал глаз с Огрида, пытаясь представить, как тот летает.

– А все ж таки обидно столько по воде бултыхаться, – поколебавшись, нерешительно произнес Огрид и глянул на Гарри искоса. – Ежели я чуток скорости поднаддам... пусть это останется между нами, ладно?

– Конечно! – пылко заверил Гарри, сгорая от желания увидеть еще какое-нибудь колдовство.

Огрид опять вытащил розовый зонтик, дважды стукнул им о борт, и лодка стремительно заскользила к берегу.

– А почему только полоумный решится ограбить «Гринготтс»? – спросил Гарри.

– Чары. Заклятья, – кратко пояснил Огрид, разворачивая газету. – Говорят, на страже сейфов повышенной секретности стоят драконы. Да и дороги не найдешь – «Гринготтс» глубоко-глубоко под Лондоном, на сотни миль, понимаешь? Много глубже подземки. И утащишь чего, так потом все одно помрешь под землей с голоду.

Пока Огрид читал «Оракул», Гарри сидел и размышлял. Дядя Вернон научил его, что за чтением газет человека беспокоить не следует, но удержаться было трудно: его в жизни еще не мучило столько вопросов.

– Опять министерство магии дурака сваляло, – проворчал Огрид, переворачивая страницу. – Как всегда.

– А что, есть такое министерство?! – изумился Гарри, хотя очень старался молчать.

– Яс'дело, – ответил Огрид. – Они, понятно, хотели Думбльдора министром, да тот «Хогварц» нипочем не бросит, ну, тогда и взяли Корнелиуса Фуджа. Тютя, одно слово. Каждый день бомбит Думбльдора совами – совета просит.

– А чем *занимается* министерство магии?

– Ихнее главное дело – следить, чтобы муглы не прознали, что в стране по-прежнему есть ведьмы и колдуны.

– Зачем?

– Зачем? Да ты сам посуди, Гарри! Ежели узнают, вмиг захотят по волшебству всего и побольше. Нет, нам уж лучше по-тихому.

Лодка мягко ткнулась в причал. Огрид сложил газету, и по каменным ступеням они поднялись на мостовую.

Пока они шли через городок на вокзал, прохожие вовсю глазели на Огрида. И это Гарри нисколько не удивляло: Огрид не только был вдвое больше обычного человека, он еще и без удержу размахивал руками, тыча в простейшие вещи вроде паркометра и громко восклицая:

– Видал?! Чего только муглы не навыдумывают, скажи?

– Огрид, – спросил Гарри, слегка задыхаясь – ему ведь приходилось бежать, чтобы не отстать от великана, – значит, в «Гринготтсе» есть *драконы?*

– Говорят, есть, – ответил Огрид. – Эх, хотел бы я дракона!

– *Правда?*

– Да. Всю жизнь хотел, с малолетства... Нам сюда.

Они дошли до вокзала. Поезд на Лондон отправлялся через пять минут. Огрид, не разбиравшийся в «мугловых деньжатах», как он их назвал, отдал Гарри купюры и послал за билетами.

В поезде на них глазели совсем уж бессовестно. Огрид занял два сиденья и вытащил вязанье. Вязал он нечто вроде циркового шатра канареечного цвета.

– У тебя письмо с собой, Гарри? – спросил Огрид, не переставая считать петли.

Гарри вытащил из кармана пергаментный конверт.

– Отлично, – сказал Огрид. – Там список всего нужного.

Гарри развернул второй лист письма, который не заметил накануне вечером, и прочел:

«ХОГВАРЦ»

ШКОЛА КОЛДОВСТВА
и ВЕДЬМИНСКИХ ИСКУССТВ

ФОРМА

Учащимся первого года обучения необходимо иметь:

1. Простая рабочая мантия
   (черная) – 3 шт.
2. Повседневная островерхая шляпа
   (черная) – 1 шт.
3. Защитные перчатки
   (из драконьей кожи или аналогичные) – 1 шт.
4. Зимний плащ
   (черный, с серебряными застежками) – 1 шт.

Убедительная просьба проследить, чтобы на одежду были пришиты метки с фамилией учащегося.

УЧЕБНИКИ

Каждый учащийся должен иметь следующие книги:

– Миранда Истреб «Сборник заклинаний (часть первая)»
– Батильда Бэгшот «История магии»

– Адальберт Вафлинг «Теория колдовства»
– Эмерик Чиктрак «Превращения. Руководство для начинающих»
– Филлида Спора «Тысяча волшебных трав и грибов»
– Арсениус Скрупул «Волшебные отвары и зелья»
– Ньют Саламандер «Фантастические твари и где они обитают»
– Квентин Трясль «Силы зла: руководство по самозащите»

ПРОЧЕЕ

Волшебная палочка – 1 шт.

Котел (оловянный, размер 2) – 1 шт.

Набор флаконов (стекло или хрусталь) – 1 шт.

Телескоп – 1 шт.

Медные весы – 1 шт.

Учащимся разрешается привезти с собой сову, ИЛИ кошку, ИЛИ жабу.

**ВНИМАНИЮ РОДИТЕЛЕЙ:
УЧАЩИМСЯ ПЕРВОГО ГОДА ОБУЧЕНИЯ
НЕ РАЗРЕШАЕТСЯ ИМЕТЬ
СОБСТВЕННЫЕ МЕТЛЫ**

– И все это можно купить в Лондоне? – поинтересовался Гарри.

– Если знать места, – ответил Огрид.

В Лондоне Гарри еще не бывал. Огрид, хоть и «знал места», явно не привык попадать туда обычным путем. Сначала он застрял в турникете метро, а потом всю дорогу жаловался: то сиденья тесные, то поезда медленные.

– Даже не знаю, как они тут обходятся без колдовства, – ворчал он, взбираясь вверх по сломанному эскалатору к выходу на узкую оживленную улицу, сплошь состоявшую из магазинов.

Гигант Огрид легко рассекал толпу, Гарри нужно было лишь держаться позади и не отставать. Они шли мимо книжных и музыкальных магазинов, закусочных и кинотеатров, но нигде не видели вывески «Волшебные палочки». Обычная улица, с обычными людьми... Неужели правда, что внизу, под землей, хранятся груды колдовского золота? И где же магазины, в которых продаются сборники заклинаний и метлы? Может, это вообще дурацкий розыгрыш, подстроенный дядей и тетей? Не знай Гарри, что Дурслеи напрочь лишены чувства юмора, он бы так и подумал – и все же, несмотря ни на что, верил Огриду безоговорочно.

– Пришли, – объявил Огрид, останавливаясь. – «Дырявый котел». Знаменитое местечко.

То было крохотное, невзрачное заведение. Если б Огрид не показал, Гарри бы и не заметил, что оно вообще тут есть. Кстати, люди, спешившие по улице, именно что не замечали его. Их взгляды скользили мимо – с большого книжного магазина по одну сторону на музыкальный магазин по другую; казалось, «Дырявый котел» они просто не видят. Гарри показалось, что лишь они с Огридом и видят этот паб. Но не успел он ничего сказать, как Огрид уже провел его внутрь.

В знаменитом заведении было на редкость темно и убого. В углу сидели старухи – они потягивали херес из крохотных стаканчиков. Одна курила длинную трубку. Низенький мужчина в цилиндре разговаривал со стариком барменом – лысым и похожим на беззубый грецкий орех. Когда они вошли, тихий гул голосов стих. Огрида, похоже, тут знали; ему замахали и заулыбались, а бармен потянулся за стаканом, спросив:

– Как обычно, Огрид?

– Не могу, Том, дела «Хогварца», – объяснил Огрид и хлопнул Гарри по плечу. У того подогнулись колени.

– Бог ты мой, – воскликнул бармен, вглядываясь в Гарри, – это же... Возможно ли?..

В «Дырявом котле» вдруг воцарилась полная тишина.

– Храни мою душу, – прошептал старик. – Гарри Поттер... какая честь. – Он торопливо обогнул барную стойку, бросился к Гарри и со слезами на глазах схватил его за руку. – С возвращением, мистер Поттер, с возвращением.

Гарри не знал, что сказать. Все смотрели на него. Старуха с трубкой старательно затягивалась, хотя трубка уже погасла. Огрид сиял.

Вдруг шумно задвигались стулья, и через секунду Гарри жал руки уже всем подряд.

– Дорис Крокфорд, мистер Поттер! Просто не верю, что наконец вижу вас собственными глазами!

– Горжусь встречей, мистер Поттер, чрезвычайно горжусь.

– Всегда мечтала пожать вам руку – я вся в волнении.

– Я в восторге, мистер Поттер, просто не могу передать... Диггл меня зовут, Дедал Диггл.

– Я вас как-то видел! – вспомнил Гарри, когда у Дедала Диггла от восторга свалился цилиндр. – Вы мне однажды поклонились в магазине.

– Помнит! – возликовал Дедал Диггл, обращаясь ко всем одновременно. – Вы слышали? Он меня помнит!

Гарри неустанно пожимал руки – Дорис Крокфорд вставала в очередь снова и снова.

Вперед пробрался бледный молодой человек, очень нервный. Один глаз у него постоянно дергался.

– Профессор Страунс! – приветствовал Огрид. – Гарри, профессор Страунс будет преподавать у тебя в «Хогварце».

– П-поттер, – заикаясь, произнес профессор Страунс, хватая Гарри за руку. – Н-не могу п-передать, до ч-чего с-счастлив, что м-мне д-д-довелось в-вас в-в-встретить.

– А что вы преподаете, профессор Страунс?

– З-защиту от с-сил з-з-зла, – признался профессор Страунс тихо, словно не желал об этом и думать. – Н-но в-вам же это н-не п-понадобится, да, П-поттер? – Он нервно рассмеялся. – Идете п-покупать в-все д-для школы, п-полагаю? А я – п-поискать н-новую книгу п-про в-вампиров. – Казалось, самая мысль о вампирах вызывает у него нервные колики.

Но другие желающие пообщаться со знаменитостью оттеснили профессора Страунса и еще минут десять выражали Гарри свое восхищение. Наконец Огриду удалось перекричать гвалт:

– Нам пора – куча дел! Пошли, Гарри.

Дорис Крокфорд в последний раз пожала Гарри руку, и Гарри с Огридом через заднюю дверь паба вышли в небольшой, обнесенный стенами дворик. Там стоял мусорный бак и росли чахлые сорняки.

Огрид улыбнулся Гарри:

– Что я тебе говорил? Ты знаменитость. Профессор Страунс аж задрожал, как увидал тебя... Правда, если честно, он вечно дрожит.

– Он всегда такой нервный?

– Ага. Несчастный малый. Умный – страсть! И все шло хорошо, пока он учил по книжкам, а потом уехал на год повидать мир... И, говорят, встретил в Чернолесье вампиров, да плюс еще какая-то темная история с ведьмой... В общем, с тех пор сам не свой. Боится учеников, боится даже собственного предмета... Так, а где мой зонтик?

Вампиры? Ведьма? У Гарри голова шла кругом. Огрид меж тем считал кирпичи в стене над мусорным баком.

– Три вверх... Два вбок... – бормотал он. – Так, отойди-ка подальше, Гарри.

И он трижды постучал по стене острием зонтика.

Кирпич задрожал... заюлил на месте... в центре образовалось отверстие... оно росло, росло... и через секунду перед ними образовалась арка, сквозь которую даже Огрид смог пройти на мощеную улицу, извилисто уходившую вдаль.

– Добро пожаловать, – сказал Огрид, – на Диагон-аллею.

И ухмыльнулся изумлению Гарри. Они прошли в арку, Гарри быстро оглянулся и увидел, как проем вновь превращается в твердь стены.

Солнце ярко сверкало на стенках котлов, выставленных у ближайшего магазина. «Котлы – Все размеры – Латунные, медные, оловянные, серебряные – Самомесы – Складные», – гласила вывеска.

– Ага, это тебе нужно, – проговорил Огрид, – но сперва – за деньжатами.

Гарри жалел, что у него не десять пар глаз. Они шли по улице, и он вертел головой, стараясь увидеть все сразу: лавки, товары перед ними, покупателей. У аптеки он услышал, как полная дама говорит, покачивая головой:

– Печень дракона по семнадцать сиклей за унцию! С ума они посходили...

Из недр темного магазина под вывеской «Совиные Эмпиреи Лупоглааза – совы неясыти, сипухи, бурые иглоногие, полярные» неслось глухое низкое уханье. Несколько мальчишек, сверстники Гарри, стояли, прижав носы к витрине с метлами. Один говорил:

– Гляньте! «Нимбус-2000» – последняя модель, самая скоростная...

На Диагон-аллее торговали мантиями и плащами, телескопами и странными серебряными инструментами, каких Гарри никогда раньше не видел, в витринах стояли бочки с селезенкой летучей мыши и глазами угря, высились шаткие башни книг с заклинаниями, лежали гусиные перья, пергаментные свитки, виднелись склянки снадобий, лунные глобусы...

– «Гринготтс», – провозгласил Огрид.

Они подошли к снежно-белому зданию, возвышавшемуся над соседними лавками. У начищенных до блеска бронзовых дверей в пурпурно-золотой ливрее стоял...

– Ага, это гоблин, – кивнул Огрид, когда они направились к нему по белым ступеням.

Гоблин был примерно на голову ниже Гарри. Смуглое умное лицо, острая бородка и очень длинные пальцы и ступни.

Когда Огрид и Гарри входили, гоблин поклонился. Теперь они оказались перед внутренними дверями, на сей раз – серебряными, и на створках были выгравированы следующие слова:

Восшествуй, незнакомец, но прими в расчет:
Того, кто алчностью грешит, возмездье ждет,
Богатство без труда ты хочешь получить –
Недешево за то придется заплатить.
Сокровище, что в подземелье мирно спит,
Тебе, запомни, не принадлежит,
Вор, трепещи! И знай, что кроме клада
Найдешь там то, чего тебе не надо.

– Я ж говорю, сюда только полоумный сунется, – заметил Огрид.

Двое гоблинов поклонились им у серебряных дверей – и Гарри с Огридом очутились в огромном мраморном зале. За длинной стойкой на высоких табуретах сидело около сотни гоблинов: они царапали что-то в гроссбухах, взвешивали монеты на медных весах, изучали драгоценные камни через очки. Из зала в разные стороны вело несметное множество дверей, и возле них несметное же множество гоблинов деловито встречало и провожало клиентов. Огрид и Гарри подошли к стойке.

– Здрасьте, – сказал Огрид свободному гоблину. – Мы за деньгами из сейфа мистера Гарри Поттера.

– У вас есть его ключ, сэр?

– Где-то был. – Огрид начал выгружать содержимое карманов прямо на стойку и тут же засыпал гроссбух плесневелыми собачьими галетами. Гоблин поморщился. Гарри же смотрел, как другой гоблин, справа, взвешивает гору рубинов, огромных, как тлеющие угли. – Вот он, туточки! – Огрид торжествующе показал крохотный золотой ключик.

Гоблин внимательно его осмотрел.

– Кажется, соответствует нормативу.

– У меня еще письмо от профессора Думбльдора. – Огрид с важностью приосанился. – Насчет Сами-Знаете-Чего в ячейке семьсот тринадцать.

Гоблин внимательно прочел письмо.

– Очень хорошо, – кивнул он, возвращая письмо Огриду. – Вас проводят вниз в хранилище. Цапкрюк!

Цапкрюк тоже был гоблин. Огрид снова распихал по карманам галеты, и они с Гарри вслед за Цапкрюком направились к какой-то двери.

– А что такое Сами-Знаете-Что в ячейке семьсот тринадцать? – спросил Гарри.

– Не могу тебе сказать, – с загадочным видом ответил Огрид. – Сверхсекретно. Дела «Хогварца». Думбльдор мне доверил. Не мое право тебе рассказывать.

Цапкрюк распахнул перед ними дверь. Гарри ожидал снова увидеть мраморный зал – и удивился: они попали в узкий каменный коридор, освещенный пылающими факелами. Коридор довольно круто уходил вниз, а по полу были проложены узкие рельсы. Цапкрюк свистнул, и на его зов, погромыхивая на стыках, явилась тележка. Они забрались в нее – Огриду это оказалось непросто – и отправились в путь.

Поначалу они просто мчались по лабиринту извилистых коридоров. Гарри пробовал запоминать дорогу: налево, направо, направо, налево, в центр развилки, направо, налево, – но это было невозможно. Дребезжащая тележка, похоже, сама знала, куда ехать: Цапкрюк ею не управлял.

Бьющий навстречу холодный воздух резал глаза, но Гарри их упорно не закрывал. Один раз ему почудился в глубине коридора сноп пламени, и он обернулся – не дракон ли там, – но было поздно. Они спускались все глубже под землю и ехали теперь мимо озера, где снизу и сверху росли сталактиты и сталагмиты.

– Так и не знаю, – крикнул Гарри Огриду сквозь грохот тележки, – кто из них сталактит, а кто – сталагмит?

– Сталагмит – это у которого «м», – ответил Огрид. – И не спрашивай больше ничего, а то меня стошнит.

Он и правда позеленел. Когда тележка наконец остановилась у дверцы в стене, ему пришлось опереться о стену, чтобы перестали дрожать колени.

Цапкрюк отпер дверцу. Оттуда вырвались клубы зеленого дыма. Едва тот рассеялся, Гарри ахнул. Внутри лежали горы золотых монет. Стояли колонны серебряных. Валялись груды маленьких бронзовых кнудов.

– Все твое, – улыбнулся Огрид.

Все его – потрясающе! Дурслеи, надо полагать, ничего об этом не знали, не то прибрали бы к рукам в мгновение ока. Они ведь постоянно жаловались, что Гарри им дорого обходится. А оказывается, все это время он, сам того не подозревая, владел целым состоянием, спрятанным глубоко под Лондоном.

Огрид помог Гарри уложить деньги в сумку.

– Золотые – это галлеоны, – объяснил он. – В одном галлеоне семнадцать серебряных сиклей, в одном сикле – двадцать девять кнудов. Ничего сложного. Вот, этого на пару семестров хватит, а остальные пусть лежат здесь, целее будут. – Он повернулся к Цапкрюку. – А теперь, будь другом, к ячейке номер сёмьсот тринадцать, и не гони так, а?

– Скорость только одна, – отрезал Цапкрюк.

Они помчались еще дальше вглубь, набирая скорость. Все холоднее становилось, все сильнее швыряло тележку на крутых поворотах. С грохотом пронеслись над подземным ущельем, и Гарри перевесился через бортик посмотреть, что внизу, но Огрид страдальчески застонал и за шиворот втащил его обратно.

У ячейки семьсот тринадцать не было замочной скважины.

– Станьте в сторонку, – важно велел Цапкрюк. Он легонько провел длинным ногтем по дверце, и та растаяла. – Если так сделает чужой, его утянет внутрь и он окажется в заточении, – пояснил Цапкрюк.

– И часто вы проверяете, нет ли кого внутри? – спросил Гарри.

– Примерно раз в десять лет, – ответил Цапкрюк с весьма неприятной ухмылкой.

Наверняка в столь секретной ячейке хранится нечто суперважное. Гарри с любопытством подался вперед, ожидая увидеть по меньшей мере груды алмазов, но в ячейке – по крайней мере, на первый взгляд – ничего не было. Потом он заметил на полу небольшой грязноватый сверток в коричневой бумаге. Огрид подхватил его и спрятал куда-то под плащ. Гарри очень хотелось узнать, что же в свертке, но он сдержал любопытство.

– Ну что, назад в адскую громыхалку? И не разговаривай со мной по дороге – мне лучше пасть не открывать, – сказал Огрид.

Кое-как пережив ужасы обратной дороги, они вновь стояли за дверями «Гринготтса», щурясь на ярком солнце. Гарри не знал, куда и бежать, раз у него в сумке полно денег. Ему не требовалось знать, каков обменный курс галлеона к фунту, он и так понимал: у него в жизни не бывало столько денег – даже Дудли столько и не снилось никогда.

– Надо б тебе форму спроворить. – Огрид мотнул головой в сторону «Мадам Малкин – Мантии на все случаи жизни». – Слушай, Гарри, ты не против, если я заскочу в «Дырявый котел»? А то взбодриться бы. Терпеть не могу эти проклятые банковские тележки.

Он и впрямь выглядел бледно, поэтому Гарри, сильно волнуясь, отправился к мадам Малкин один.

Та оказалась приземистой улыбчивой ведьмой, одетой в розовато-лиловое.

– Идешь в «Хогварц», милый? – перебила она его невнятное лопотание. – Здесь все, что нужно, – и вот, кстати, еще один молодой человек на примерке.

В глубине магазина на низкой табуретке стоял мальчик с бледным, острым лицом, а вторая ведьма подкалывала булавками подол его черной мантии. Мадам Малкин поставила Гарри на табурет рядом, надела ему через голову платье и начала укорачивать.

– Привет, – сказал мальчик. – Тоже в «Хогварц»?

– Да, – кивнул Гарри.

– Мой папа в соседнем магазине покупает учебники, а мама смотрит волшебные палочки на том конце улицы, – сообщил мальчик. Говорил он скучающе, манерно. – А потом я их потащу смотреть гоночные метлы. Не понимаю, почему первоклассникам их не разрешают. Все-таки заставлю отца купить и уж как-нибудь протащу в школу.

Гарри отчетливо припомнился Дудли.

– А у *тебя* есть метла? – приставал мальчишка.

– Нет, – ответил Гарри.

– А в квидиш-то хоть играешь?

– Нет, – снова ответил Гарри, гадая, что это за штука такая, квидиш.

– А *я* играю. Папа говорит, преступно будет, если меня не выберут играть за мой колледж, и я, должен сказать, с ним согласен. Ты уже знаешь, в какой колледж идешь?

– Нет. – Гарри с каждой минутой чувствовал себя все глупее.

– Вообще-то никто точно не знает до последнего, но я уверен, что попаду в «Слизерин», у нас вся семья там училась... А ты только представь, каково попасть в «Хуффльпуфф»! Хоть из школы уходи, честное слово, как считаешь?

– Угу, – промямлил Гарри, сожалея, что не может сказать ничего поумнее.

– Ух ты, глянь на этого дядьку! – воскликнул вдруг мальчик, кивая на витрину.

За окном стоял Огрид. Он скалился во весь рот и вертел в руках два больших рожка мороженого, показывая, что войти не может.

– Это Огрид, – сказал довольный Гарри – он знал такое, о чем не осведомлен мальчишка. – Он работает в «Хогварце».

– А-а, – протянул мальчик, – я про него слышал. Он же там какой-то прислужник?

– Лесник, – поправил Гарри. Мальчишка с каждой секундой нравился ему все меньше.

– А, ну да. Какой-то *дикарь* – живет в хижине при школе, а временами напивается, начинает колдовать и в итоге поджигает собственную постель.

– А по-моему, он замечательный, – холодно возразил Гарри.

– Неужто? – произнес мальчик с презрительной усмешкой. – А почему он с тобой? Где твои родители?

– Умерли, – коротко ответил Гарри. Он не собирался обсуждать столь деликатную тему с этим воображалой.

– Какой ужас, – равнодушно сказал тот. – Но они были из *наших*, да?

– Они были ведьма и колдун, если ты об этом.

– Я думаю, не наших вообще принимать нельзя. Они же... не такие, не по-нашему воспитаны. Вообрази, некоторые даже про «Хогварц» не знают, пока не получат письмо. А по-моему, магию нельзя выпускать за пределы старых колдовских семей. Как, кстати, твоя фамилия?

Гарри не успел ответить. Мадам Малкин сказала:

– Вот и готово, милый, – и Гарри, нисколько не сожалея, что у него появился повод прекратить разговор, спрыгнул с табурета.

– Полагаю, увидимся в «Хогварце», – сказал манерный мальчик.

Гарри ел мороженое, которое принес Огрид (малиново-шоколадное, с дроблеными орехами), и молчал.

– Что с тобой? – спросил Огрид.

– Ничего, – соврал Гарри.

Они зашли купить пергамент и перья. При виде чернил, меняющих цвет при письме, Гарри слегка повеселел. Выходя из магазина, он спросил:

– Огрид, а что такое квидиш?

– Ах ты ж, парень, я и запамятовал, какая ты у нас темнота – про квидиш и то не в курсе!

– Не надо, мне и так плохо. – И Гарри рассказал Огриду про бледного мальчика в магазине мадам Малкин. – И еще он сказал, что детей из семей муглов вообще не следует принимать...

– Ты *не* из семьи муглов. Знал бы он, кто ты *есть*, – да он с пеленок про тебя слыхал, раз у самого семья колдовская. Ты ж видал, чего творилось в «Дырявом котле». И вообще, чего он, козявец, в таких делах смыслит! Сколько случаев знаю, когда у муглов вдруг родится колдун или ведьма, так они всегда – самые способные. Взять хоть твою маменьку! И сравнить с сестрицей? То-то.

– Так что такое квидиш?

– А это игра у нас такая спортивная. Ну, вроде как... футбол у муглов, все его смотрят. Играют в воздухе на метлах, и там еще четыре мяча... Короче, так сразу правил не объяснишь.

– А что такое «Слизерин» и «Хуффльпуфф»?

– Колледжи у нас в школе. Всего их четыре. Говорят, в «Хуффльпуффе» – одни тугодумы, но это...

– Тогда я точно окажусь в «Хуффльпуффе», – мрачно сказал Гарри.

– Лучше «Хуффльпуфф», чем «Слизерин», – сурово заявил Огрид. – Все ведьмы и колдуны, которые пошли... по плохой дорожке, учились в «Слизерине». Да и Сам-Знаешь-Кто – тоже.

– Вольде... ой, то есть Сам-Знаешь-Кто учился в «Хогварце»?

– Давным-давно, – ответил Огрид.

Они купили учебники в магазине Завитуша и Клякца, где полки до самого потолка были уставлены книгами всех сортов – огромными, как плиты мостовой, переплетенными в дорогую кожу, и малюсенькими, размером с почтовую марку, обтянутыми шелком книгами, полными причудливых значков, а в нескольких вообще ничего не было. Даже Дудли, который сроду ничего не читал, отдал бы что угодно, лишь бы до некоторых дотронуться. Огрид силой уволок Гарри от справочника «Заклятия: как заморочить врагов и очаровать друзей. Современная порча: выпадение волос, ватные ноги, прилипание языка и многое, многое другое» профессора Мститтуса Вирусиана.

– Я хотел узнать, как проклясть Дудли.

– Мысль неплохая, да только в мире муглов колдовать нельзя, разве что в особенных случаях, – сказал Огрид. – И вообще, ты порчу навести не сможешь, тебе еще учиться и учиться.

Огрид не разрешил Гарри купить котел из чистого золота («Сказано – оловянный»), зато они приобрели очень симпатичные весы для зелий и складной латунный телескоп. Затем посетили аптеку, где было так интересно, что почти забывалось об ужасающем запахе: смеси тухлых яиц с гнилой капустой. На полу стояли бочки какой-то слизи; на полках вдоль стен громоздились банки с травами, сушеными кореньями и разноцветными порошками; с потолка свисали пучки перьев, спутанные связки клыков и когтей. Пока Огрид просил человека за прилавком взвесить ему стандартный набор для зелий, Гарри внимательно рассматривал серебряные рога единорога по двадцать один галлеон за штуку и крохотные, блестяще-черные жучиные глазки (пять кнудов черпак).

Выйдя из аптеки, Огрид еще раз проверил список.

– Так, осталась палочка... Да, и еще подарок тебе с день-рожденьем.

Гарри почувствовал, что краснеет.

– Вам не обязательно...

– Яс'дело, не обязательно. А знаешь чего? Куплю-ка я тебе какую-нибудь животину. Только не жабу, жабы давно не в моде – над тобой, чего доброго, смеяться станут... А кошек я сам не жалую, чихаю от них. Куплю-ка я тебе сову. Все дети хотят сову, да и польза от них – почту носят и все такое.

Через двадцать минут они уже покидали «Совиные Эмпиреи Лупоглааза», где было темно, шелестели крылья и алмазно сверкали живые, яркие глазки. Гарри бережно нес большую клетку с красивой белоснежной совой, которая крепко спала, засунув голову под крыло. Гарри, заикаясь, непрестанно благодарил Огрида, сам себе напоминая профессора Страунса.

– Перестань, – резковато махал рукой Огрид. – Дурслеи ведь навряд ли тебе чего-то подарят. Ну все, теперь к Олливандеру! Только там хорошие волшебные палочки, а тебе нужна лучшая.

Волшебная палочка... вот о чем Гарри по-настоящему мечтал.

Магазинчик был тесный и какой-то захудалый. Золото на вывеске облупилось. А гласила она: «Олливандеры: изготовители лучших волшебных палочек с 382 г. до н. э.». В витрине на выцветшей фиолетовой подушке лежала одна-единственная палочка.

Когда они переступили порог, где-то в глубине звякнул колокольчик. Внутри магазинчик оказался крошечный и пустой, если не считать рахитичного стульчика, на который Огрид тотчас и уселся ждать. Странное дело, Гарри чувствовал себя как в библиотеке с очень строгими правилами; проглотив тысячу пришедших на ум вопросов, он молча смотрел на длинные узкие коробки, штабелями сложенные вдоль стен. Почему-то по спине бежали мурашки. Здесь, казалось, сама пыль и таинственная тишина излучают некое тайное волшебство.

– Добрый день, – произнес тихий голос.

Гарри подскочил. Огрид, вероятно, тоже, потому что раздался громкий треск и великан поспешно отошел от стула.

Перед ними стоял пожилой человек, и его большие бледные глаза светились во мраке магазина, словно две полные луны.

– Здрасьте, – неловко поздоровался Гарри.

– О, разумеется, – сказал человек. – Разумеется. Я предполагал, что вскоре вас увижу. Гарри Поттер. – Это не был вопрос. – У вас глаза вашей матушки. Кажется, только вчера она сама была здесь, покупала свою первую волшебную палочку. Ивовая, десять с четвертью, хлесткая. Чудесная палочка для чудо-работы.

Мистер Олливандер подошел ближе. Хоть бы моргнул, подумал Гарри, а то от взгляда этих серебристых глаз прямо мурашки по телу.

– Ваш батюшка в свою очередь предпочел палочку красного дерева. Одиннадцать дюймов. Пластичная. Помощнее и великолепно подходит для превращений. Я сказал, что ее предпочел ваш батюшка, хотя на самом-то деле, разумеется, выбирает палочка.

Мистер Олливандер подошел так близко, что они с Гарри оказались практически нос к носу. Гарри видел себя в его дымчатых глазах.

– А вот сюда, стало быть... – Длинным белым пальцем мистер Олливандер коснулся зигзагообразного шрама. – С огорчением вынужден признать, что палочку, осмелившуюся сотворить такое, продал я, – тихо пробормотал он. – Тринадцать с половиной дюймов. Тис... Мощная, очень мощная, к тому же в дурных руках... Знать бы, что она выйдет в мир, дабы... – Он покачал головой, но тут, к облегчению Гарри, заметил Огрида. – Рубеус! Рубеус Огрид! Рад видеть снова... дубовая шестнадцатидюймовка, довольно податливая, так?

– Точно так, сэр, – подтвердил Огрид.

– Хорошая была. Но ее, полагаю, сломали пополам, когда тебя исключили? – вдруг посуровел мистер Олливандер.

– Э-э... сломали, сэр, – сказал Огрид, беспокойно переминаясь с ноги на ногу. – Половинки, правда, у меня остались, – радостно добавил он.

– Но ты ими *не пользуешься?* – строго спросил мистер Олливандер.

– Что вы, сэр, – быстро ответил Огрид. Гарри, правда, заметил, что с этими словами он уж очень крепко вцепился в свой розовый зонтик.

– Хм, – произнес мистер Олливандер, пронизывая Огрида взглядом. – Ну что ж. А теперь – мистер Поттер. Дайте-ка взглянуть. – Он вытащил из кармана мерную ленту с серебряными насечками. – Какая рука рабочая?

– Я... правша, – сказал Гарри.

– Вытяните руку. Вот так. – Олливандер измерил руку от плеча до пальцев, затем от запястья до локтя, от плеча до пола, от колена до подмышки, а также окружность головы. При этих манипуляциях он рассказывал: – В каждой олливандеровской волшебной палочке сокрыта мощнейшая магическая субстанция, мистер Поттер. Для сердцевин мы берем волос единорога, перья из хвоста феникса и сердечные жилы дракона. Все олливандеровские палочки разные, потому что не бывает двух абсолютно одинаковых единорогов или фениксов. И разумеется, нельзя достичь эффективного результата, пользуясь чужой палочкой.

Гарри вдруг понял, что лента, измеряющая расстояние между его ноздрями, делает это сама по себе. Мистер Олливандер ходил вдоль полок и снимал коробки.

– Хватит, – бросил он, и лента свернулась в клубок на полу. – Итак, мистер Поттер, попробуйте эту. Бук и сердечная жила дракона. Девять дюймов. Хорошая, нежесткая. Возьмите и взмахните.

Гарри взял и, чувствуя себя глупо, взмахнул, но мистер Олливандер почти сразу отобрал палочку и заменил на другую:

– Клен и перо феникса. Семь дюймов. Хлесткая. Пробуйте...

Гарри попробовал, но не успел даже взмахнуть, как мистер Олливандер выхватил и ее:

– Нет-нет... Вот, черное дерево и волос единорога, восемь с половиной, пружинистая. Давайте, давайте.

Гарри пробовал. И пробовал. Он не имел ни малейшего представления, чего добивается мистер Олливандер. Гора отвергнутых палочек на рахитичном стульчике росла, но чем больше товара снималось с полок, тем счастливее становился мистер Олливандер.

– Покупатель с запросами, да? Не беспокойтесь, где-то здесь вас дожидается ваша единственная, и мы найдем ее... найдем... Так, интересно... А почему бы и нет... Необычное сочетание: остролист и перо феникса, одиннадцать дюймов, приятная, послушная.

Гарри взял палочку – и по его пальцам сразу побежало тепло. Он поднял палочку над головой и хлестнул, рассекая пыльный воздух, где вслед за палочкой фейерверком заструился поток красных и золотых искр. Огрид, радостно ахнув, захлопал в ладоши, а мистер Олливандер вскричал:

– Ай, браво! Да, действительно, очень хорошо. Так-так-так... любопытно... весьма любопытно... – Он уложил палочку в коробку, а ту завернул в коричневую бумагу, приговаривая: – Любопытно... любопытно...

– Простите, – сказал Гарри, – что любопытно?

Мистер Олливандер уставил на Гарри бледный взгляд.

– Я помню все проданные мною палочки до единой, мистер Поттер. Все. И... так уж случилось, что феникс, чье хвостовое перо содержится в вашей палочке, дал еще одно перо – всего одно. Согласитесь, это и в самом деле занятно: вам самой судьбой предназначена палочка, чья сестра – родная сестра! – даровала вам этот шрам.

Гарри сглотнул.

– Да-да, тринадцать с половиной дюймов. Тис. Занятно – случаются же подобные совпадения! Помните, палочка сама выбирает колдуна... Думаю, нам следует ожидать от вас великих свершений, мистер Поттер... В конце концов, Тот-Кто-Не-Должен-Быть-Помянут творил великие дела... Ужасные – но великие.

Гарри содрогнулся. Мистер Олливандер что-то не очень ему нравился. Гарри заплатил за палочку семь золотых галлеонов, и мистер Олливандер с поклоном проводил покупателей к выходу.

Предвечернее солнце висело низко над горизонтом, когда Гарри и Огрид возвращались по Диагон-аллее, снова сквозь стену, снова через «Дырявый котел», уже опустевший. На обратном пути Гарри молчал, пока они шли пешком, и даже не замечал, как разевает рты народ в подземке, дивясь их многочисленным странным сверткам и клетке с полярной совой у него на коленях.

Вверх по еще одному эскалатору, выход к вокзалу Паддингтон... Лишь когда Огрид похлопал его по плечу, Гарри опомнился.

– Успеем перекусить до твоего поезда, – сказал Огрид.

Он купил Гарри гамбургер, и они присели на пластиковые стульчики. Гарри озирался. Все вокруг почему-то выглядело нереальным.

– Ты в порядке, малец? Чего притих-то? – спросил Огрид.

Гарри не знал, как объяснить. Сегодня у него был самый прекрасный день рождения... и все же... Он жевал гамбургер, подыскивая слова.

– Все думают, я особенный, – выговорил он наконец. – Все эти люди в «Дырявом котле», профессор Страунс, мистер Олливандер... А я не умею колдовать. Как можно ждать от меня великих свершений? Я знаменитость, а сам и не знаю отчего. Я же не помню, что произошло, когда Воль... Извините, я хотел сказать, той ночью, когда погибли мои родители.

Огрид перегнулся через столик. Под косматой бородой и кустистыми бровями скрывалась очень добрая улыбка.

– Ты, главное дело, ничего не бойся, Гарри. Навостришься. В «Хогварце» все от печки начинают, и ты у нас будешь не хуже других. Просто будь самим собой, и все. Хотя и нелегкое это дело. Ты особенный, а таким всегда тяжко. Но в «Хогварце» тебе будет хорошо... Мне было... Да и сейчас, к слову сказать.

Огрид посадил Гарри в поезд, который снова отвезет его к Дурслеям, и протянул конверт.

– Билет до «Хогварца», – пояснил он. – Первое сентября, Кингз-Кросс – там все написано. Будут донимать Дурслеи – шли сову, она знает, где меня сыскать... Ну все – увидимся, Гарри.

Поезд отошел от вокзала. Гарри хотел следить за Огридом до последнего, пока тот не скроется из виду. Привстал, прижался носом к стеклу, но моргнул – и Огрид исчез.

Глава шестая

Поезд с платформы девять и три четверти

Последний месяц в доме Дурслеев прошел не особенно приятно. Правда, Дудли теперь настолько боялся Гарри, что не решался оставаться с ним в одной комнате, а тетя Петуния и дядя Вернон не только прекратили запирать племянника в чулане, но и не заставляли ничего делать, и не ругали – вообще с ним не разговаривали. От страха ли, от ненависти, они вели себя так, словно всякое кресло, в котором сидит Гарри, – кресло пустое. И хотя во многих отношениях это было очень удобно, все же через некоторое время начало угнетать.

Гарри почти безвылазно торчал у себя в комнате со своей новой совой. Он решил назвать ее Хедвигой – это имя попалось ему в «Истории магии». Школьные учебники оказались невероятно интересными. Гарри подолгу читал вечерами в постели, а Хедвига летала туда-сюда через открытое окно. Хорошо, что тетя Петуния перестала пылесосить комнату: Хедвига отовсюду притаскивала дохлых мышей. Перед сном Гарри вычеркивал еще один день из оставшихся до первого сентября в самодельном календарике, который прикнопил к стенке.

В последний день августа Гарри решил, что, пожалуй, стоит поговорить с дядей и тетей о том, как ему наутро добраться до вокзала Кингз-Кросс, и спустился в гостиную, где семья смотрела по телевизору викторину. Он кашлянул, давая о себе знать, и Дудли тотчас с воплем вылетел из комнаты.

– Э-э... дядя Вернон...

Дядя Вернон буркнул, подтверждая, что слушает.

– М-м... завтра мне надо быть на вокзале Кингз-Кросс, я уезжаю... в «Хогварц».

Дядя Вернон снова буркнул.

– Вы сможете меня отвезти?

Бурк. Гарри предположил, что это значит «да».

– Спасибо.

Гарри начал было подниматься по лестнице, но тут дядя Вернон заговорил:

– И что за способ за такой добираться до волшебной школы на поезде? А ковер-самолет где? В химчистке?

Гарри промолчал.

– А где вообще эта школа?

– Не знаю, – сказал Гарри, впервые это осознавая. Он достал из кармана билет. – Мне просто нужно сесть в поезд, который отходит в одиннадцать утра от платформы девять и три четверти, – прочел он.

Дядя и тетя уставились на него:

– Какой платформы?

– Девять и три четверти.

– Не мели чепухи, – рассердился дядя Вернон. – Нет такой платформы – девять и три четверти.

– На билете написано.

– Бред какой-то, – сказал дядя Вернон. – Дурдом. Погоди, еще сам увидишь. Ладно, доставим мы тебя на Кингз-Кросс. Все равно завтра собирались в Лондон, а то бы не повез.

– А зачем вам в Лондон? – спросил Гарри для поддержания беседы.

– Везем Дудли в больницу, – проворчал дядя Вернон. – Надо же удалить ему этот чертов хвост перед «Смылтингсом».

Утром Гарри проснулся в пять и больше уже не спал от волнения. Потом встал и натянул джинсы – не ехать же на вокзал в колдовской одежде, лучше переодеться в поезде. Просмотрел еще раз список, убедился, что все взял. Проверил, надежно ли заперта в клетке Хедвига. И принялся мерить шагами комнату, дожидаясь, когда встанут Дурслеи. Два часа спустя огромный сундук Гарри погрузили в багажник, тетя Петуния уговорила Дудли сесть рядом с Гарри, и они тронулись в путь.

К вокзалу Кингз-Кросс они подъехали в половине одиннадцатого. Дядя Вернон бухнул сундук на тележку и покатил внутрь здания. Гарри подумал, что это как-то чересчур любезно с его стороны, но тут дядя Вернон с мерзкой ухмылкой затормозил у выхода на перроны.

– Ну что, дружок, посмотри. Платформа девять – платформа десять. Девять и три четверти должна быть где-то посередине, но ее, кажется, еще не построили, а?

Он был прав, разумеется. Над одной платформой висела большая пластиковая табличка с номером девять, над следующей – с номером десять, а посередине ничего не было.

– Ну-с, учись на отлично, – пожелал дядя Вернон, препротивно осклабившись, и ушел, не сказав больше ни слова.

Гарри обернулся и увидел, что Дурслеи уезжают. Все трое хохотали. У Гарри пересохло во рту. Что же делать? На него уже странно посматривали из-за Хедвиги. Придется кого-нибудь спросить.

Он остановил шедшего мимо вокзального служащего, но не решился упомянуть платформу девять и три четверти. Служащий впервые слышал о «Хогварце» и, когда Гарри не смог объяснить, в какой части страны находится эта школа, начал раздражаться, будто Гарри специально морочил ему голову. Отчаявшись, Гарри спросил про поезд, отбывающий в одиннадцать ноль-ноль, но служащий ответил, что такого в расписании нет, и зашагал прочь, ворча на ходу про «всяких», которые работать не дают. Гарри изо всех сил старался не поддаваться панике. Большие часы над расписанием показывали, что до отхода поезда на «Хогварц» остается десять минут, а Гарри понятия не имел, как его отыскать, и стоял посреди вокзала с сундуком, который едва мог поднять, карманами, полными колдовских денег, и большой совой в клетке.

Наверное, Огрид забыл упомянуть о чем-то важном: стучали же они по третьему кирпичу слева, чтобы попасть на Диагон-аллею... Может, достать волшебную палочку и постучать по турникету между платформами девять и десять?

Тут у него за спиной прошли какие-то люди, и он уловил обрывок их разговора:

– ...все забито муглами, конечно...

Гарри резко обернулся. Полная женщина говорила с четырьмя ярко-рыжими мальчиками. Каждый толкал перед собой такой же, как у Гарри, сундук, – и у них была *сова*.

Сердце Гарри лихорадочно забилось, и он покатил свою тележку вслед за ними. Они остановились, и он тоже остановился, неподалеку, чтобы слышать их разговор.

– Ну, какая платформа? – спросила мать.

– Девять и три четверти! – пискнула державшая ее за руку маленькая девочка, тоже рыжеволосая. – Мам, а можно я тоже поеду...

– Ты еще маленькая, Джинни, пожалуйста, помолчи. Давай, Перси, ты первый.

Мальчик, на вид самый старший, бодро направился к платформам девять и десять. Гарри следил, стараясь не моргать, чтобы ничего не пропустить; но, стоило мальчику подойти к барьеру, разделяющему платформы, его вдруг загородила огромная толпа туристов, и когда последний рюкзак отодвинулся, рыжий мальчик уже исчез.

– Фред, ты следующий, – распорядилась полная женщина.

– Я не Фред, я Джордж, – ответил мальчик. – И вы, дама, еще смеете называть себя матерью? Разве вы не *видите*, что я – Джордж?

– Прости, Джорджи, детка.

– Я пошутил, я Фред, – сказал мальчик и пошел. Брат-близнец подгонял его, и, видимо, Фред действительно поторопился: через секунду его не стало. Но куда же он делся?

И вот уже третий брат быстро направился к барьеру – вот он почти дошел – и вот в один миг не стало и его.

Всё.

– Извините, – обратился Гарри к полной женщине.

– Здравствуй, милый, – радушно откликнулась та, – первый раз в «Хогварц»? Рон тоже новичок.

Она показала на последнего, младшего, сына. Тот был худой, высокий, неукладный, веснушчатый, с большими руками и ногами и длинным носом.

– Да, – сказал Гарри. – И, понимаете, я... Понимаете... Я не знаю, как...

– Как выйти на платформу? – доброжелательно подсказала женщина, и Гарри кивнул. – Не волнуйся, – успокоила она. – Нужно просто идти прямо на барьер между платформами девять и десять. Не останавливайся и не бойся врезаться, это самое важное. Лучше всего с разбегу, если нервничаешь. Давай, иди сейчас, перед Роном.

– А... ладно, – сказал Гарри.

Он развернул тележку и уставился на барьер. Тот был очень прочный, железный.

Гарри пошел на него. Люди, торопившиеся на платформы девять и десять, задевали его на ходу. Гарри прибавил шагу. Сейчас он врежется, вот будет фокус... Он нагнулся и покатил тележку бегом. Барьер приближался. Он не сумеет остановиться... тележка рвалась из рук... остался шаг-другой... Он закрыл глаза, приготовился к удару...

Удара не случилось... он пробежал еще... и открыл глаза.

У платформы, запруженной людьми, стоял ярко-алый паровоз. Табличка сверху гласила: «Хогварц-экспресс, 11:00». Гарри обернулся и на месте турникета увидел чугунную арку со словами: «Платформа 9 ³/₄». Получилось!

Над головами оживленной толпы стелился дым, а под ногами путались кошки всех мастей. Перекрывая людской гомон и скрип сундуков, недовольно ухали что-то друг другу совы.

Первые несколько вагонов были уже заполнены учениками; одни высовывались из окон, чтобы поговорить с родней, другие сражались за места. Гарри толкал тележку вдоль поезда в поисках свободного купе. Прошел мимо круглолицего мальчика, говорившего:

– Бабушка, я опять потерял жабу.

– Ах, Невилл, – вздохнула пожилая женщина.

Небольшая толпа окружала мальчика с дредами. В руках тот держал ящичек.

– Дай посмотреть, Ли, дай, ну пожалуйста!

Мальчик приподнял крышку, и народ вокруг завизжал: изнутри вылезла длинная волосатая лапа.

Гарри с трудом пробирался сквозь толпу, пока наконец не нашел пустое купе почти в самом конце поезда. Сначала он занес внутрь Хедвигу, затем поволок к двери сундук. Попробовал втащить его по ступеням, но едва смог приподнять и дважды больно уронил себе на ногу.

– Помочь?

Это спросил один из рыжих близнецов, следом за которыми он проходил турникет.

– Да, пожалуйста, – попросил Гарри, задыхаясь.

– Эй, Фред! Иди помоги!

С помощью близнецов сундук наконец водворили в угол купе.

– Спасибо, – поблагодарил Гарри, убирая с глаз взмокшую челку.

– Что это? – спросил один близнец, показывая на зигзагообразный шрам.

– Мама дорогая! – воскликнул другой. – Значит, это ты...

– Это он, – перебил первый. – Да? Он? – обратился он к Гарри.

– Кто? – не понял Гарри.

– *Гарри Поттер!* – хором воскликнули близнецы.

– Ах, он, – сказал Гарри. – Да. Он. В смысле я.

Мальчики уставились на него, и Гарри почувствовал, что заливается краской. Тут, к его облегчению, сквозь открытую дверь купе донеслось:

– Фред? Джордж? Вы здесь?

– Идем, мам!

Последний раз глянув на Гарри, близнецы выпрыгнули из поезда.

Гарри сел у окна: отсюда можно было незаметно наблюдать за рыжим семейством и слушать, о чем они говорят. Их мама достала носовой платок.

– Рон, у тебя что-то на носу.

Младший сын попытался вырваться, но она крепко ухватила его и принялась оттирать ему грязь с кончика носа.

– Ма-ам, пусти! – Рон вывернулся.

– А-ай, у мыски Лонни сто-то на носишке, – пропел один близнец.

– Заткнись, – огрызнулся Рон.

– А где Перси? – спросила мать.

– Вон идет.

К ним шагал старший мальчик. Он уже облачился в черную школьную форму, и она красиво развевалась при ходьбе. Гарри заметил у него на груди сияющий серебряный значок с буквой «С».

– У меня буквально две минутки, мама, – сказал мальчик. – Я сел впереди, там для старост выделили два отдельных купе...

– Да ты у нас, оказывается, *староста*, Перси? – воскликнул один близнец, изображая величайшее изумление. – Что ж ты не сказал, мы ведь и не догадывались!

– Постой, постой, кажется, припоминаю – он что-то такое говорил, – перебил другой близнец. – Раз...

– Или два...

– В минуту...

– Все лето...

– Ой, замолчите, – сказал Перси-староста.

– А почему у Перси новая форма? – не унимался первый близнец:

– Потому что он – *староста*, – с нежностью сказала их мама. – Ну все, милый, учись хорошо и не забудь прислать сову, как доберетесь.

Она поцеловала Перси, и тот удалился. Мать повернулась к близнецам:

– Так, теперь вы двое – в этом году, уж будьте добры, ведите себя прилично. Если я получу еще хотя бы одну сову о том, что вы... взорвали туалет или...

– Взорвали туалет? Мы еще ни разу не взрывали туалет!

– Но идея отличная, мам, спасибо!

– *Не смешно*. И приглядывайте за Роном.

– Не волнуйся, мыска Лонникин за нами не пропадет.

– Заткнитесь, – привычно пробубнил Рон. Он был почти одного роста с близнецами, и нос его, там, где мать оттирала пятно, раскраснелся.

– Да, мам, знаешь что? Догадайся, кого мы только что видели в поезде?

Гарри отпрянул от окна, чтобы не заметили, как он за ними наблюдает.

– Знаешь, кто этот мальчик, который вместе с нами проходил на платформу? С черными волосами? Угадай, кто это?

– Кто?

– *Гарри Поттер!*

Гарри услышал голосок девочки:

– Ой, мам, а можно мне зайти в поезд на него посмотреть? Ну пожалуйста!..

– Ты уже видела его, Джинни, и к тому же бедный мальчик – не слон в зоопарке, нечего на него глазеть. Но это точно он, Фред? Как ты узнал?

– Спросил. И шрам видел. И правда – как молния.

– Бедняжка! Неудивительно, что он один... А я-то еще подумала, как странно... Такой вежливый, воспитанный, спросил, как попасть на платформу.

– Это-то ладно... Как думаешь, он помнит Сама-Знаешь-Кого?

Мать неожиданно посерьезнела:

– Фред, я запрещаю его об этом спрашивать! Не смей. Зачем напоминать ему об этом в первый же школьный день?

– Ладно, ладно, спокуха. Не буду.

Раздался свисток.

– Скорее! – сказала мама, и все три мальчика забрались на подножку. Потом высунулись из окна, чтобы она поцеловала их на прощание. Их младшая сестра заплакала.

– Не плачь, Джинни, мы пришлем тебе кучу сов!

– Мы пришлем тебе крышку от унитаза.

– *Джордж!*

– Шучу, мам.

Поезд тронулся. Гарри видел, как женщина машет детям, а их сестренка, плача и смеясь, старается бежать, не отставая от поезда, – тот набрал скорость, она отстала, но продолжала махать.

А за поворотом провожавшие исчезли из виду. Мимо замелькали дома. Гарри не мог унять волнения. Он не представлял, что его ждет, но оно конечно же лучше того, что осталось позади.

Дверь купе скользнула вбок, и вошел младший рыжий.

– Тут кто-нибудь сидит? – спросил он, показывая на сиденье напротив Гарри. – А то везде занято.

Гарри покачал головой, и мальчик сел. Быстро глянул на Гарри и сразу перевел взгляд в окно, притворяясь, будто и не смотрел вовсе. Черное пятно у него на носу так и не оттерлось.

– Привет, Рон. – Это пришли близнецы. – Слушай, мы идем в середину поезда – там у Ли Джордана гигантский тарантул.

– Отлично, – буркнул Рон.

– Гарри, – сказал один из близнецов, – мы не представились. Фред и Джордж Уизли. А это Рон, наш брат. Ну, увидимся.

– Пока, – ответили Гарри и Рон. Дверь скользнула на место, закрывшись за близнецами.

– Ты правда Гарри Поттер? – выпалил Рон.

Гарри кивнул.

– А... Ну хорошо, а то я думал, это опять какая-то шуточка, – пробормотал Рон. – И у тебя правда есть... ну, это... – Он показал на лоб Гарри.

Тот отвел в сторону челку и показал шрам. Рон смотрел во все глаза.

– Это куда Сам-Знаешь-Кто?..

– Да, – кивнул Гарри, – но я ничего не помню.

– Совсем? – с интересом спросил Рон.

– Только яркий зеленый свет – и все.

– Ух ты! – выдохнул Рон. Он сидел и некоторое время смотрел на Гарри не отрываясь, а потом, словно опомнившись, быстро отвернулся к окну.

– А у вас колдовская семья? – спросил Гарри.

– Э-э... вроде бы. Кажется, у мамы есть какой-то троюродный брат-бухгалтер, но у нас о нем не принято говорить.

– Так ты, наверное, уже знаешь кучу колдовских штучек?

Ясно было, что Уизли – одна из тех старых колдовских семей, о которых говорил бледный мальчишка с Диагон-аллеи.

– А ты, говорят, жил у муглов, – сказал Рон. – Какие они?

– Ужасные. Ну, не все, конечно. Но мои дядя, тетя и двоюродный брат – чудовища. Лучше бы у меня было три брата-колдуна.

– Пять, – поправил Рон и отчего-то помрачнел. – Я – шестой в семье, кто идет в «Хогварц». И поэтому мне якобы есть к чему стремиться. Билл и Чарли уже закончили. Билл был старшим старостой, Чарли – капитаном квидишной команды. Сейчас Перси стал старостой колледжа. Фред и Джордж много хулиганят, но у них все равно очень хорошие оценки, и все их любят, потому что они остроумные. От меня тоже ждут, что я буду не хуже остальных, но, если я буду не хуже, что с того – они ведь уже всего добились, кого этим удивишь... И потом, при такой ораве старших братьев тебе никогда не купят ничего нового. У меня школьная форма Билла, волшебная палочка Чарли и старая крыса Перси.

Рон полез в карман и достал толстую серую крысу. Она спала.

– Его зовут Струпик, и от него никакого проку, он почти не просыпается. Папа подарил Перси сову, когда его сделали старостой, и потом им уже было не по карма... Ну, в общем, мне достался Струпик.

Уши у Рона покраснели. Он, видимо, решил, что наговорил лишнего, поэтому отвернулся и снова стал смотреть в окно.

Но Гарри вовсе не считал зазорным, если у родителей нет денег на лишнюю сову. В конце концов, у него самого деньги завелись только месяц назад. Он так и сказал Рону – и еще рассказал, как вечно донашивал все за Дудли и никогда не получал подарков в день рождения. Рон, казалось, немного повеселел.

– И пока не появился Огрид, я понятия не имел, что я колдун, и ничего не знал про родителей и про Вольдеморта...

Рон ахнул.

– Что? – не понял Гарри.

– *Ты назвал Сам-Знаешь-Кого по имени!* – воскликнул Рон со страхом и восхищением. – Я думал, уж кто-кто, а ты...

– Ну, я не из храбрости, не думай, – сказал Гарри. – Я просто не знал, что нельзя. Понимаешь теперь? Для меня все у вас – темный лес... Спорим, – робко прибавил он, впервые решаясь признаться в своих опасениях, – что я буду худшим учеником в классе.

– Ерунда. В школе полно учеников из семей муглов, и они очень даже быстро все схватывают.

Тем временем Лондон остался далеко позади. Поезд летел мимо пастбищ со стадами коров и овец. Рон и Гарри помолчали, глядя на мелькавшие за окном луга и тропинки.

Около половины первого за дверью что-то загромыхало, и улыбчивая женщина с ямочками на щеках заглянула в купе:

– Хотите чего-нибудь вкусненького, ребятки?

Гарри, который сегодня не завтракал, сразу вскочил, а у Рона опять покраснели уши, и он забормотал про сэндвичи из дома. Гарри вышел в коридор.

Дурслеи никогда не давали ему денег ни на сладости, ни на мороженое, поэтому теперь, когда в карманах звенело золото и серебро, он готов был скупить все батончики «Марс» до единого, но «Марса» в тележке не оказалось. У продавщицы были всевкусные орешки Берти Ботта, взрывачка Друблиса, шокогадушки (шоколадные лягушки), тыквеченьки, котлокексы, лакричные волшебные палочки и много других странных штук, каких Гарри в жизни не видывал. Глаза разбегались, и он купил всего понемногу, отдав продавщице одиннадцать серебряных сиклей и семь бронзовых кнудов.

Гарри притащил все это богатство в купе и сгрузил на пустое сиденье. Рон удивился:

– Такой голодный?

– Умираю, – признался Гарри и откусил огромный кусок тыквеченьки.

Рон достал объемистый сверток и развернул. Внутри оказалось четыре сэндвича. Рон заглянул в начинку и проворчал:

– Вечно она забывает, что я не люблю вареную солонину.

– Давай меняться, – предложил Гарри, показывая на тыквеченьки. – Угощайся...

– Тебе не понравится, мясо жутко сухое, – сказал Рон. – У мамы совершенно нет времени, – поспешно добавил он, – понимаешь, все-таки пятеро детей...

– Не стесняйся, бери, – подбодрил Гарри, которому никогда раньше не доводилось делиться – да и не с кем было. И это оказалось так здорово: сидеть рядом с Роном и вместе пробовать тыквеченьки, и котлокексы, и конфетки (про сэндвичи они как-то забыли). – А это что? – спросил Гарри, взяв пачку шокогадушек. – Это ведь не настоящие лягушки? – Впрочем, он бы не удивился.

– Нет, – ответил Рон. – Проверь, какая внутри карточка. А то у меня нет Агриппы.

– Чего?

– Ой, ты ведь не знаешь – в шокогадушках обязательно есть карточки, ну, чтобы собирать, – «Знаменитые ведьмы и колдуны». У меня уже целых пятьсот, а ни Агриппа, ни Птолемей никак не попадаются.

Гарри развернул шокогадушку и взял карточку. С нее смотрел человек в очках-полумесяцах, с ниспадающими серебряными волосами, бородой и усами. Под картинкой была подпись: «Альбус Думбльдор».

– Так, значит, вот какой Думбльдор! – воскликнул Гарри.

– Только не говори, что никогда не слышал о Думбльдоре! – отозвался Рон. – Можно мне шокогадушку? Вдруг там Агриппа... Спасибо...

Гарри перевернул свою карточку и прочитал:

АЛЬБУС ДУМБЛЬДОР

В НАСТОЯЩЕЕ ВРЕМЯ ДИРЕКТОР
ШКОЛЫ «ХОГВАРЦ»

Признанный многими величайшим чародеем современного мира, профессор Думбльдор особенно прославился своей победой над злым колдуном Гриндельвальдом в 1945 году, изобретением двенадцати способов использования драконьей крови, а также совместной с Николя Фламелем работой в области алхимии. Профессор Думбльдор увлекается камерной музыкой и игрой на автоматическом кегельбане.

Гарри повернул карточку лицевой стороной и, к своему удивлению, обнаружил, что Думбльдор исчез.

– Он пропал!

– Не торчать же ему здесь целый день, – сказал Рон. – Ничего, вернется... Не-а, опять Моргана, а у меня ее целых шесть... Хочешь себе? Начнешь коллекцию.

Взгляд Рона был прикован к горке еще не распечатанных шокогадушек.

– Бери, бери, – кивнул Гарри. – Но, знаешь, у муглов люди с фотографий не уходят.

– Правда? Что, так и сидят не шелохнувшись? – изумился Рон. – *Дичь какая-то!*

Гарри поглядел, как Думбльдор скользнул обратно на карточку и еле заметно оттуда улыбнулся. Рона больше интересовали сами шокогадушки, нежели карточки, а вот Гарри глаз не мог оторвать от знаменитых колдунов и ведьм. Вскоре у него были не только Думбльдор и Моргана, но и Хенгист Вудкрофт, и Альберик Груннион, и Цирцея, и Парацельс, и Мерлин. Наконец он усилием воли отвел взгляд от друидессы Клины, чесавшей нос, и открыл пакетик всевкусных орешков Берти Ботта.

– С этим осторожней, – предупредил Рон. – Это не шутка, у них правда *все* вкусы. То есть, понимаешь, бывают обычные, ну, там, шоколадные, мятные, мармеладные, но можно наткнуться и на шпинат, и на печенку, и на требуху. Джордж клянется, что однажды съел орех со вкусом соплей.

Рон достал зеленый орешек, подозрительно осмотрел его со всех сторон и осторожно откусил.

– Фу-у-у... Ну вот, пожалуйста: брюссельская капуста.

Есть всевкусные орешки было очень весело. Гарри попались вкусы бутерброда с сыром, кокоса, печеных бобов, клубники, карри, травы, кофе, сардин... Под конец он так расхрабрился, что решился надкусить странный серый орешек, который Рон отверг категорически. Оказалось – перец.

Пейзаж за окном постепенно дичал. Аккуратные поля остались позади. Теперь за окнами мелькали темно-зеленые холмы, леса, извилистые реки.

В дверь постучали. Вошел круглолицый мальчик, которого Гарри видел на платформе девять и три четверти. Казалось, бедняга вот-вот заплачет.

– Извините, – сказал он. – Вы случайно не видели жабу?

Рон с Гарри покачали головами, а мальчик захныкал:

– Потерял! Он все время убегает!

– Найдется, – утешил Гарри.

– Ну да, – несчастным голосом произнес мальчик. – В общем, если увидите... – И он удалился.

– Чего так волноваться, не понимаю, – сказал Рон. – Будь у меня жаба, я бы ее потерял еще дома. Правда, кто бы говорил: у меня самого Струпик.

Крыса по-прежнему тихо похрапывала на коленях у Рона.

– Если б он сдох, мы бы и не заметили, – с отвращением проговорил тот. – Я вчера пытался перекрасить его в желтый, сделать поинтереснее, но заклинание не сработало. Вот смотри, сейчас покажу...

Он порылся в сундуке и достал обшарпанную волшебную палочку. Она была вся в зазубринах, а на конце виднелось что-то белое.

– Волос единорога почти совсем повылез. Ладно, не важно...

Он поднял палочку, и тут дверь купе снова отворилась. Вошел мальчик – без жабы, но на сей раз с девочкой, уже переодетой в форму «Хогварца».

– Жабу не видели? А то Невилл потерял, – сказала она. У нее был командирский голос, густые каштановые волосы и довольно крупные передние зубы.

– Мы же сказали – *не видели*, – отозвался Рон, но девочка не слушала. Она с интересом смотрела на его волшебную палочку.

– Магией занимаетесь? Давайте-ка посмотрим. – И села.

Рон растерялся.

– Ну... ладно. – Он откашлялся. –

Маргаритки, горстка риса,
Желтой стань, дурная крыса.

Рон взмахнул палочкой, но ничего не произошло. Струпик остался серым и даже не проснулся.

– Ты уверен, что это настоящее заклинание? – спросила девочка. – Все равно тогда не очень хорошее. Я пробовала несколько простых заклинаний для тренировки, и у меня всегда получалось. В моей семье магией никто не владеет, и когда пришло письмо, это был необыкновенный сюрприз – я была так счастлива, не передать, ну, сами понимаете, это же лучшая школа ведьминских искусств, мне так говорили, и я уже все учебники выучила наизусть, надеюсь, конечно же на первое время хватит. Меня зовут Гермиона Грейнджер, между прочим, а вас как?

Все это она выпалила единым духом.

Гарри посмотрел на Рона и по его ошарашенному виду понял, что и тот не выучил наизусть всех учебников. Уже легче.

– Я – Рон Уизли, – пробормотал Рон.

– Гарри Поттер, – сказал Гарри.

– Да что ты? – чуть удивилась Гермиона. – Я, конечно, все про тебя знаю, у меня были книжки для дополнительного чтения, и про тебя есть в «Истории современной магии», и во «Взлете и падении темных сил», и в «Великих волшебствах двадцатого века».

– Правда? – удивился Гарри. У него слегка закружилась голова.

– Ой, а ты не знаешь? Если б это касалось меня, я бы выяснила все досконально! – воскликнула Гермиона. – А вы уже в курсе, в какой колледж пойдете? Я тут поспрашивала, надеюсь, меня зачислят в «Гриффиндор», он вроде бы лучший; говорят, сам Думбльдор там учился, но, я так полагаю, и во «Вранзоре» не хуже... В любом случае мы пойдем поищем жабу Невилла, а вам, знаете, лучше переодеться – по моим расчетам, мы скоро уже приедем.

Она ушла, прихватив с собой мальчика без жабы.

– Не знаю, в каком я буду колледже, лишь бы не с нею вместе, – проворчал Рон. Он швырнул палочку обратно в сундук. – Дурацкое заклинание! Мне его Джордж сказал. Опять обдурил, собака!

– А в каком колледже твои братья? – спросил Гарри.

– В «Гриффиндоре», – ответил Рон. И снова впал в мрачность. – Мама с папой тоже там учились. Даже не знаю, что будет, если меня зачислят куда-нибудь не туда. Вряд ли «Вранзор» хуже, но представь, что будет, если я попаду в «Слизерин»!

– Это где учился Воль... то есть Сам-Знаешь-Кто?

– Ну. – И Рон с несчастным видом плюхнулся на сиденье.

– Знаешь, а кончики усов у Струпика, кажется, посветлели, – попытался ободрить его Гарри. – А кем стали после школы твои старшие братья?

Ему было интересно, чем вообще занимаются в жизни колдуны.

– Чарли в Румынии изучает драконов, а Билл в Африке по делам «Гринготтса», – сказал Рон. – Слыхал про «Гринготтс»? Это было в «Оракуле». Правда, муглы ее, наверно, не выписывают... Кто-то хотел ограбить спецхран.

Гарри вытаращил глаза:

– Правда? И что с грабителями?

– Да ничего, оттого и весь шум. Их не поймали. Папа говорит, только очень сильный черный маг способен обойти охрану

«Гринготтса», хотя, по слухам, оттуда ничего не украли. В том и странность. И когда такое случается, все сразу пугаются: вдруг за этим стоит Сам-Знаешь-Кто.

Гарри старался переварить новость. Теперь при одном упоминании Сами-Знаете-Кого по спине ползли мурашки. Видно, так и должно быть при вступлении в колдовской мир, однако раньше было куда проще: он спокойно говорил «Вольдеморт» и при этом прекрасно себя чувствовал.

– А в квидише ты за какую команду? – спросил Рон.

– Э-э... Да я ни одной не знаю, – признался Гарри.

– Что? – Рон изумился до глубины души. – Ой, ну подожди – узнаешь, это же лучшая игра на свете... – И он с увлечением пустился объяснять про четыре мяча и позиции семерых игроков, описывать поминутно ход известных матчей, на которых побывал с братьями, и перечислять марки метел, которые приобрел бы, появись у него деньги. Он объяснял Гарри тонкости игры, когда дверь купе опять открылась, но вошел не Невилл без жабы и даже не Гермиона Грейнджер.

Вошли трое других ребят, и того, что посередине, Гарри узнал сразу. То был бледный мальчишка из магазина мадам Малкин, и он смотрел на Гарри куда пристальней, чем раньше, на Диагон-аллее.

– Это правда? – осведомился он. – Весь поезд так и гудит про Гарри Поттера. Это ты?

– Да. – Гарри окинул взглядом двух других мальчиков. Оба крупные, плотные, опасные. Стоя по обе стороны от бледного, они напоминали телохранителей.

– Кстати, это Краббе, а это Гойл, – небрежно представил приятелей бледный, перехватив взгляд Гарри. – А меня зовут Малфой, Драко Малфой.

Рон тихонько кашлянул – похоже, пытаясь скрыть смешок. Драко Малфой посмотрел на него.

– По-твоему, у меня смешное имя? Между прочим, я тебя знаю. Мой отец сказал, что у всех Уизли рыжие волосы, веснушки и непозволительно много детей. – Малфой вновь повернулся к Гарри. – Ты скоро поймешь, что некоторые колдовские семьи гораздо лучше остальных, Поттер. И в неподходящую компанию лучше не попадать. Я мог бы тебе помочь разобраться, что к чему.

Он протянул руку, но Гарри ее не принял.

– Спасибо. Думаю, я и сам способен отличить подходящую компанию от неподходящей, – холодно произнес он.

Драко Малфой не покраснел, его щеки лишь слегка порозовели.

– На твоем месте, Поттер, я был бы осторожней, – процедил он. – И поучтивей – не то последуешь за родителями. Тоже не понимали, что к чему. Будешь возиться со швалью вроде Уизли или этого вашего Огрида – сам запачкаешься.

Гарри и Рон поднялись плечо к плечу.

– А ну повтори, – проговорил Рон. Лицо у него стало того же цвета, что волосы.

– А то побьете? – презрительно ухмыльнулся Малфой.

– Если вы сейчас же не уберетесь... – сказал Гарри очень храбро, хотя на самом деле побаивался: и Краббе, и Гойл были намного крупнее их с Роном.

– А мы никуда не торопимся, правда, ребятки? У себя мы уже все съели, а у вас тут еще осталось...

Гойл протянул руку к шокогадушке. Рон рванулся к нему, но не успел и дотронуться, как Гойл издал душераздирающий вопль.

Вцепившись острыми зубками в сустав, у него на пальце повис Струпик. Краббе и Малфой отступили, а Гойл с воем махал крысой, пытаясь стряхнуть ее с руки; когда Струпик наконец отлетел и ударился об оконное стекло, все трое убежали. Может, решили, что в конфетах таятся другие крысы, а может, услышали шаги – секунду спустя в дверях возникла Гермиона Грейнджер.

– Что тут происходит? – спросила она, глядя на сладости, рассыпанные по полу, и на Струпика, которого Рон держал за хвост.

– По-моему, он в отключке, – сказал Рон Гарри. Потом присмотрелся внимательней: – Нет! Не поверишь – заснул! – Струпик действительно спал. – А ты что, знаком с Малфоем?

Гарри рассказал о встрече на Диагон-аллее.

– Слыхал об этой семейке, – мрачно произнес Рон. – Они первыми вернулись на нашу сторону, когда Сам-Знаешь-Кто исчез. Клялись, будто были зачарованы. Но папа не верит. Говорит, отец Малфоя спал и видел, чтобы перейти к Силам Зла. – Он повернулся к Гермионе: – Тебе что-то нужно?

– Лучше переодевайтесь скорей. Я ходила вперед к машинисту, и он сказал, что мы уже почти приехали. Вы тут не дрались, нет? А то попадете в историю раньше, чем до школы доедем.

– Дрались не мы, а Струпик. – Рон бросил на Гермиону сердитый взгляд. – Может, ты выйдешь, пока мы переодеваемся?

– Сейчас. Я зашла только потому, что люди в коридоре ведут себя совершенно по-детски и бегают взад-вперед, – высокомерно объяснила Гермиона. – А у тебя на носу грязь, ты в курсе?

Рон в возмущении проводил ее взглядом. Гарри выглянул в окно. Сгущался вечер. Под фиолетовыми небесами чернели силуэты гор и лесов. Поезд замедлял ход.

Гарри с Роном сняли куртки и надели длинные черные мантии. Старая мантия брата была Рону коротковата, из-под нее виднелись кроссовки.

По вагонам гулко разнеслось объявление:

– Через пять минут поезд прибудет на станцию «Хогварц». Пожалуйста, оставьте багаж в купе, его доставят в школу отдельно.

Гарри так занервничал, что у него свело живот, да и Рон побелел, несмотря на веснушки. Они распихали остатки сладостей по карманам и вышли в коридор, в толпу.

Поезд пополз тихо-тихо и в конце концов остановился. Все бросились к дверям и высыпали на маленькую темную платформу. От холодного вечернего воздуха Гарри пробрала дрожь. Затем над головами поплыл фонарь, и Гарри услышал знакомый голос:

– Пер'клашки! Пер'клашки, сюда! Порядок, Гарри? – Над морем голов улыбался огромный всклокоченный Огрид. – Давайте, давайте за мной – еще пер'клашки есть? Смотрите под ноги! Пер'клашки, за мной!

Оскальзываясь и спотыкаясь, все двинулись за Огридом вниз по узкой, почти отвесной тропе. По обе стороны было очень темно – там, видимо, росли очень толстые деревья. Толком никто не разговаривал. Невилл – мальчик, все время терявший жабу, – пару раз всхлипнул.

– Сейчас увидите «Хогварц», – через плечо объявил Огрид. – Вот тут, за поворотом.

И раздалось громкое «О-о-о-о-о!».

Узкая тропинка привела на берег большого черного озера. На другом берегу, на вершине скалы, сияя окнами против звездного неба, высился огромный замок с бесчисленными башнями и башенками.

– Не больше четырех в лодку! – распорядился Огрид, показав на флотилию лодочек, толкавшихся у берега. Невилл и Гермиона сели в одну лодку с Гарри и Роном. – Погрузились? – крикнул Огрид, поместившийся в отдельную лодку. – Отлично! ВПЕРЕД!

Флотилия отчалила и заскользила по гладкому зеркалу озера. Все молчали и, распахнув глаза, смотрели на высившийся впереди замок. Чем ближе к утесу, тем сильней приходилось задирать головы.

– Пригнуть бошки! – скомандовал Огрид, когда первые лодки подплыли к утесу.

Все пригнулись, и их внесло под занавес из плюща, скрывавший вход в широкую пещеру. Они проплыли по темному тоннелю, очевидно уводившему в подземелья замка, и в конце концов достигли подземного причала, где высадились на каменистый берег.

– Эй, парнишка! Твоя жаба? – крикнул Огрид, проверявший лодки, покуда дети выбирались на берег.

– Тревор! – радостно вскричал Невилл, протягивая руки.

Затем все поднялись, спотыкаясь, по узкому проходу в скале, следуя за фонарем

Огрида, и вышли на ровный росистый газон прямо перед замком.

Взойдя на каменное крыльцо, они сгрудились у высоченных дубовых дверей.

– Все на месте? Жабу не потеряли?

Огрид поднял гигантский кулак и трижды постучал.

Глава седьмая

Шляпа-Распредельница

Двери распахнулись. На пороге в изумрудном плаще стояла высокая темноволосая ведьма с невероятно суровым лицом. С такой лучше не связываться, подумал Гарри.

– Пер'клашки, профессор Макгонаголл, – доложил Огрид.

– Спасибо, Огрид. Дальше я сама.

Она широко раскрыла створки. Вестибюль был огромен – в нем свободно поместился бы дом Дурслеев целиком. На каменных стенах пылали факелы, как в «Гринготтсе», потолок терялся где-то в вышине, а наверх вела роскошная мраморная лестница.

Вслед за профессором Макгонаголл они пошли по каменным плитам. Из-за дверей справа слышался гул сотен голосов – очевидно, остальные ученики уже собрались, – но профессор Макгонаголл завела первоклассников в пустую комнатушку по соседству. Все сбились в кучку – очень тесно для незнакомых людей – и растерянно озирались.

– Добро пожаловать в «Хогварц», – заговорила профессор Макгонаголл. – Скоро начнется пир, посвященный началу учебного года, но, прежде чем вы сядете за стол в Большом зале, вас распределят по колледжам. Распределение – очень важная церемония, потому что, пока вы учитесь, колледж вам – дом родной. Вы будете заниматься вместе с другими учениками своего колледжа, спать в одном дортуаре и проводить свободное время в общей гостиной... Колледжей у нас четыре – «Гриффиндор», «Хуффльпуфф», «Вранзор» и «Слизерин». У каждого колледжа своя благородная история, в каждом учились выдающиеся ведьмы и колдуны. Пока вы в «Хогварце», за любой ваш успех колледжу будут начисляться баллы, за любую провинность баллы будут вычитаться. В конце года колледж, заработавший больше всего баллов, награждается кубком – это огромная честь. Надеюсь, каждый из вас станет гордостью своего колледжа... Церемония Распределения начнется через несколько минут в присутствии остальных учащихся. Советую не тратить времени даром и по возможности привести себя в порядок.

Ее взгляд задержался на плаще Невилла, застегнутом под левым ухом, и на испачканном носу Рона. Гарри принялся лихорадочно приглаживать волосы.

– Я вернусь, когда все будет готово, – сказала профессор Макгонаголл. – Будьте добры не шуметь.

Она вышла. Гарри сглотнул.

– А как распределяют по колледжам? – спросил он у Рона.

– Проводят какие-нибудь испытания. Фред говорил, ужасно больно. Шутил небось... я надеюсь.

Сердце Гарри скакнуло в груди. Испытания? Перед всей школой? Но он еще не умеет колдовать... Что же делать? Он не ожидал, что их начнут испытывать с места в карьер. Он испуганно огляделся и увидел, что в панике не он один. Все притихли, и лишь Гермиона Грейнджер быстро шептала что-то про выученные заклинания и гадала, какое может понадобиться. Гарри постарался не слушать. Он ни разу в жизни так не волновался, ни единого разу – даже когда нес Дурслеям записку от директора с жалобой на то, что он незнамо как перекрасил парик учительницы в синий цвет. Гарри смотрел в пол. Сейчас вернется профессор Макгонаголл и поведет его на позор.

Но тут случилось такое, от чего он подпрыгнул чуть ли не на фут, а кто-то сзади в ужасе завопил:

– Что это?!

Гарри ахнул, как и все остальные вокруг. Из стены одно за другим выскользнуло штук двадцать привидений. Жемчужно-белые, полупрозрачные, они струились по комнате, переговариваясь и как будто не замечая первоклассников. Похоже, они спорили. Некое подобие толстенького низенького монаха изрекло:

– Прости и забудь, как говорится, мы должны дать ему еще один шанс...

– Дорогой Монах, мы дали Дрюзгу миллион шансов! Но он бросает тень на всех нас – а ведь он, в сущности, даже не призрак!.. Так, а вы что тут делаете? – Привидение в гофрированном воротнике и трико внезапно заметило первоклашек.

Никто не ответил.

– Пополненьице! – воскликнул Жирный Монах, улыбаясь всем подряд. – На Распределение, полагаю?

Несколько человек молча кивнули.

– Надеюсь, вы попадете в «Хуффльпуфф», – пожелал Монах. – Я, знаете ли, сам там учился.

– Пойдемте! – раздался резкий голос. – Церемония начинается! – Это вернулась профессор Макгонаголл. Привидения одно за другим уплыли сквозь стену напротив. – Строимся, строимся, – подгоняла профессор, – и за мной.

Чувствуя, как ноги наливаются свинцом, Гарри встал в строй за светловолосым мальчиком, а Рон встал за Гарри. Все снова пошли через вестибюль и сквозь двойные двери в Большой зал.

Гарри и вообразить не мог ничего великолепнее и удивительнее. Зал освещали тысячи и тысячи свечей – они плавали в воздухе над четырьмя длинными столами, где сидели ученики. На столах – золотые блюда и кубки. У дальней стены на возвышении стоял еще один длинный стол для учителей. Профессор Макгонаголл провела первоклассников туда и построила – лицом к ученикам, спиной к учительскому столу. На новичков смотрели сотни лиц – точно лампады в неверном свете свечей. Там и сям туманным серебром поблескивали фигуры привидений. Чтобы ни с кем не встречаться глазами, Гарри посмотрел вверх, на бархатисто-черный потолок, усеянный звездами, и услышал шепот Гермионы:

– Он так заколдован, что всегда выглядит как небо снаружи. Я читала в «Истории “Хогварца”».

И не поверишь, что это не настоящее небо, что Большой зал не открывается ввысь, к небесам.

Гарри быстро глянул вниз: профессор Макгонаголл молча установила перед строем первоклассников четырехногий табурет и на него положила островерхую колдовскую Шляпу. Всю в заплатках, потрепанную, невообразимо грязную. В доме тети Петунии она бы и на пять минут не задержалась.

«Наверное, придется доставать оттуда кролика, – мелькнула у Гарри дикая мысль. – Вот зачем она тут».

Заметив, что все пристально смотрят на Шляпу, он тоже уставился. Несколько секунд в зале стояла абсолютная тишина. Затем Шляпа вздрогнула. У самых полей открылась прореха наподобие рта – и Шляпа запела:

Может, я не хороша,
Но по виду не судите,

Шляпы нет умней меня –
Хоть полмира обойдите.
Круглобоки котелки,
А цилиндры высоки,
Но зато в Распределенье
Я не шляпа – загляденье.
Для меня секретов нету,
Ничего не утаить,
Как наденешь – так узнаешь,
Где тебя должны учить.
Может, в «Гриффиндор» дорога –
По ней храбрые идут,
Им за доблесть и отвагу
Люди славу воздают.
В «Хуффльпуфф» не попадете,
Коль глупы и нечестны,
Хуффльпуффцы все в почете,
Знамени труда верны.
Колледж «Вранзор» стар и мудр,
Примет быстрого умом:
Если любит кто учебу,
Там себе найдет он дом.
Или, может, в «Слизерине»
Вы отыщете друзей,
Они хитростью поныне
К цели движутся своей.
Так наденьте меня и не бойтесь!
Вы в надежных руках, успокойтесь.
У меня с руками беда,
Зато думаю я хоть куда!

Едва Шляпа умолкла, зал разразился аплодисментами. Шляпа поклонилась всем четырем столам по очереди и замерла.

– Что, надо надеть Шляпу? Всего-навсего?! – шепотом воскликнул Рон. – Убью Фреда, он все наврал про поединок с троллем.

Гарри слабо улыбнулся. Конечно, померить Шляпу куда легче, чем произносить заклинания, но лучше бы не на глазах у всей школы. Судя по песне, требования у Шляпы высоки, а Гарри не чувствовал себя ни храбрым, ни шибко сообразительным. Вот если б Шляпа упомянула про колледж для тех, кого мутит от страха, Гарри подошло бы в самый раз.

Вперед с длинным пергаментным свитком выступила профессор Макгонаголл.

– Я называю фамилии, а вы надеваете Шляпу и садитесь на табурет, – объяснила она. – Аббот, Ханна!

Розовощекая светловолосая девочка с хвостиками, споткнувшись, вышла из строя, надела Шляпу, которая тут же съехала ей на глаза, и села. После минутной паузы:

– «Хуффльпуфф»! – провозгласила Шляпа.

От правого стола понеслись приветственные крики и рукоплескания. Ханна прошла туда и села. Гарри увидел, как ей весело помахало привидение Жирного Монаха.

– Боунс, Сьюзен!

– «Хуффльпуфф»! – снова выкрикнула Шляпа. Сьюзен торопливо отошла и подсела к Ханне.

– Бут, Терри!

– «Вранзор»!

На сей раз рукоплескания раздались от второго стола слева; когда Терри подошел, несколько вранзорцев встали пожать ему руку.

«Брокльхёрст, Мэнди» тоже отправилась во «Вранзор», а вот «Браун, Лаванда» стала первой новой гриффиндоркой, и крайний стол слева взорвался аплодисментами; близнецы, братья Рона, громко засвистели.

«Балстроуд, Миллисент» зачислили в «Слизерин». И может, Гарри только так казалось после всего, что он успел узнать про этот колледж, но слизеринцы и правда, словно на подбор, были какие-то противные.

Его уже подташнивало довольно сильно. Он вспомнил, как в школе на физкультуре набирали команды. Его всегда выбирали последним – и не потому, что он плохо играл, нет: боялись, как бы Дудли не подумал, что Гарри кому-то нравится.

– Финч-Флетчи, Джастин!

– «Хуффльпуфф»!

Иногда, заметил Гарри, Шляпа выкрикивала название колледжа сразу, иногда раздумывала. «Финниган, Шеймас», мальчик с волосами песочного цвета, стоявший перед Гарри, просидел на табурете добрую минуту, пока Шляпа не назначила его в «Гриффиндор».

– Грейнджер, Гермиона!

Гермиона почти бегом ринулась к табурету и резво нахлобучила Шляпу.

– «Гриффиндор»! – завопила та. Рон застонал.

Ужасная мысль поразила Гарри внезапно – как всегда бывает, когда нервничаешь. Что, если его вообще не выберут? Что, если он так и останется сидеть под Шляпой, пока профессор Макгонагалл ее не сорвет и не скажет, что произошла ошибка и лучше бы ему вернуться домой обратным поездом?

Когда вызвали Невилла Лонгботтома – мальчика, постоянно терявшего жабу, – тот упал по дороге к табурету. Шляпа долго решала, куда его отправить, но в конце концов объявила:

– «Гриффиндор»!

Невилл бросился прочь как был, в Шляпе, а затем под громкий хохот метнулся назад – передать ее «Макдугал, Мораг».

Малфой, услышав свое имя, гордо выступил вперед. Его желание исполнилось тотчас – Шляпа закричала:

– «Слизерин»! – едва коснувшись его головы.

Малфой вернулся к Краббе и Гойлу, крайне довольный собой.

Оставалось не так уж много народу.

«Мун»... «Нотт»... «Паркинсон»... Затем девочки-близняшки – «Патил» и «Патил»... Следом «Пёркс, Салли-Энн»... И наконец:

– Поттер, Гарри!

Едва Гарри вышел из строя, по залу шуршащими язычками пламени зазмеились шепотки:

– Она сказала *Поттер?*

– Гарри Поттер? *Тот самый?*

Пока Шляпа не съехала на глаза, Гарри успел увидеть целый зал народу, и все привстали, чтобы получше его разглядеть. А затем он уже рассматривал черную изнанку Шляпы – и ждал.

– Хмм, – сказал тихий голос прямо в ухо. – Трудно. Очень трудно. Мужества предостаточно, это видно. И сообразительный. Талант, батюшки мои, талантище – и такая жажда проявить себя, вот ведь что интересно... Куда же мне тебя определить?

Гарри вцепился руками в края табурета и про себя взмолился: «Только не в “Слизерин”, только не в “Слизерин”».

– Только не в «Слизерин», говоришь? – переспросил тихий голос. – Уверен? Ты мог бы стать великим, знаешь, тут в голове все есть, а «Слизерин» выведет тебя прямиком к величию, без сомненья, – не хочешь? Нет? Что ж, если уверен, пусть будет «Гриффиндор»!

Гарри понял, что последнее слово Шляпа выкрикнула на весь зал. Он стащил Шляпу и на дрожащих ногах направился к столу «Гриффиндора». Он был счастлив – его выбрали, его не отправили в «Слизерин» – и даже не заметил, что ему хлопали и кричали как никому. Староста Перси встал и энергично потряс ему руку, а близнецы Уизли надрывались:

– Поттер с нами! Поттер с нами!

Гарри сел напротив давешнего привидения в гофрированном воротнике. Привидение похлопало его по плечу. Бррр: как будто обмакнул руку в ведро ледяной воды.

Теперь Гарри видел Высокий стол. С ближнего краю сидел Огрид – он поймал взгляд Гарри и показал два больших пальца. Гарри улыбнулся. В центре Высокого стола в большом золотом кресле сидел Альбус Думбльдор – Гарри сразу узнал его по карточке из шокогадушки. Серебряная голова Думбльдора одна во всем зале сверкала ярко, как призраки. Гарри заметил и профессора Страунса, нервного молодого человека из «Дырявого котла». В большом пурпурном тюрбане выглядел он довольно причудливо.

К тому времени осталось всего четверо нераспределенных. «Томас, Дин», чернокожий мальчик еще выше Рона, сел за стол «Гриффиндора». «Тёрпин, Лиза» направилась во «Вранзор», и настала очередь Рона. Бедняга уже весь позеленел от ужаса. Гарри под столом скрестил пальцы, и через секунду Шляпа закричала:

– «Гриффиндор»!

Гарри громко захлопал вместе с остальными, когда Рон рухнул на стул рядом.

– Молодец, Рон, отлично, – важно похвалил Перси Уизли; меж тем «Цабини,

Блейза» назначили в «Слизерин». Профессор Макгонаголл скатала свиток и унесла Шляпу-Распредельницу.

Гарри посмотрел на пустое золотое блюдо. Только сейчас он понял, насколько проголодался. Тыквеченьки были словно в другой жизни.

Альбус Думбльдор поднялся. Он смотрел на учеников, широко раскинув руки, и сиял: казалось, видеть их всех вместе – для него величайшее счастье.

– Добро пожаловать! – воскликнул он. – Добро пожаловать в «Хогварц»! Прежде чем начать пир, я хотел бы сказать несколько слов. А слова мои будут такие: Тютя! Рева! Рвакля! Цап! Спасибо!

Думбльдор сел. Все радостно закричали и захлопали; Гарри не понимал, смеяться ему или нет.

– Он что – слегка того? – неуверенно обратился он к Перси.

– Того? – беззаботно переспросил Перси. – Да он гений! Лучший чародей всех народов! Но он, совершенно верно, слегка того. Картошки, Гарри?

И тут рот у Гарри открылся сам собой – столы ломились от яств. Ему и не доводилось видеть столько вкусного разом: ростбиф, жареные куры, свиные и телячьи отбивные, сардельки, стейк с беконом, вареная картошка, жареная, картофель фри, йоркширский пудинг, горошек, морковка, подливка, кетчуп и, по непонятным соображениям, мятные леденцы.

Нельзя сказать, что Дурслеи морили Гарри голодом, но он никогда не ел вволю. И все, чего хотелось Гарри, непременно отбирал Дудли, даже если его от этого тошнило. Гарри наполнил блюдо всем понемножку (кроме леденцов) и стал есть. Все было фантастически вкусно.

– Выглядит аппетитно, – грустно отметил призрак в воротнике, наблюдая, как Гарри режет стейк.

– А вам нельзя?

– Я не ел уже лет четыреста, – сказал призрак. – Конечно, мне и не нужно, однако, сказать откровенно, без еды скучаешь. Кажется, я не представился? Сэр Николас де Мимси-Порпингтон, к вашим услугам. Резиденция в башне Гриффиндор.

– Я знаю, кто вы! – встрял Рон. – Мне братья рассказывали. Вы – Почти Безголовый Ник!

– Я бы *предпочел*, чтобы меня называли сэром Николасом де Мимси... – холодно начал призрак, но его перебил Шеймас Финниган:

– *Почти* Безголовый? Как это – *почти* безголовый?

Сэр Николас сделался недоволен – разговор, с его точки зрения, пошел не в ту сторону.

– А вот *так!* – огрызнулся он, схватил себя за левое ухо и дернул. Голова откинулась на левое плечо, как на петлях. Очевидно, кто-то рубил сэру Николасу голову, но не довел дело до конца. Очень довольный тем, как всех напугал, Почти Безголовый Ник водрузил голову на место, прокашлялся и сказал: – Итак, новые гриффиндорцы! Надеюсь, уж с вами-то мы выиграем кубок? «Гриффиндор» так давно не выигрывал. Слизеринцы получают кубок уже шесть лет подряд! Кровавый Барон стал совершенно невыносим – у него резиденция в «Слизерине».

Гарри посмотрел: за столом «Слизерина» маячило чудовищное привидение с пустыми глазницами, изможденным лицом и в одеждах, запятнанных серебристой кровью. Сидело оно рядом с Малфоем, и тот, с удовольствием заметил Гарри, был отнюдь не в восторге от подобного соседства.

– А чего это он весь в крови? – жадно полюбопытствовал Шеймас.

– Я не уточнял, – тактично ответил Почти Безголовый Ник.

Когда все наелись, остатки пищи словно испарились с тарелок, и посуда вновь заблистала чистотой. Спустя мгновение появился десерт: глыбы мороженого всех мыслимых сортов и вкусов, яблочные пироги, пирожные с патокой, шоколадные эклеры, пончики с вареньем, фруктовые бисквиты, клубника, желе, рисовый пудинг...

Пока Гарри набивал рот паточным пирожным, разговор зашел о родных.

– Я полукровка, – объявил Шеймас. – У меня папа мугл. Мама не признавалась, что ведьма, пока они не поженились. Вот он припух.

Все засмеялись.

– А ты, Невилл? – поинтересовался Рон.

– Меня воспитывала бабушка, она ведьма, – сказал Невилл. – А про меня думали, что я стопроцентный мугл. Двоюродный дедушка Элджи все пытался меня как-нибудь подловить и заставить колдовать – однажды столкнул с пирса в Блэкпуле, я чуть не утонул, – но ничего не получалось, пока мне не исполнилось восемь. Дедушка Элджи пришел в гости, взял меня за ноги и вывесил из окна на втором этаже. А тут двоюродная бабушка Инид дала ему меренгу, и он нечаянно меня отпустил. Но я отскочил от земли, как мячик, – проскакал через весь сад до самой дороги. Все так радовались, бабушка плакала, прямо не знала, куда деваться от счастья. Видели бы вы их лица, когда меня сюда приняли, – они думали, во мне магии не хватит. Дедушка Элджи был так доволен, что купил мне жабу.

Перси Уизли и Гермиона по другую сторону от Гарри разговаривали об учебе:

– Надеюсь, занятия начнутся сразу, и мне главное – превращения одного в другое, хотя, конечно, это вроде бы трудно...

– Начнете вы с элементарного: спички – в иголки, такие вот штуки...

Гарри разморило. Он посмотрел на Высокий стол. Огрид от души хлебал из кубка. Профессор Макгонаголл разговаривала с Альбусом Думбльдором. Профессор Страунс в своем нелепом тюрбане беседовал с другим преподавателем – крючковатый нос, сальные волосы, землистое лицо.

Все случилось внезапно. Носатый преподаватель глянул Гарри прямо в глаза поверх тюрбана профессора Страунса – и шрам на лбу пронзила обжигающая боль.

– Ай! – Гарри схватился за лоб.

– Что такое? – встревожился Перси.

– Н-ничего.

Боль мгновенно прошла. А вот впечатление не проходило – неизвестному учителю Гарри явно не понравился.

– Кто это разговаривает с профессором Страунсом? – спросил Гарри у Перси.

– А, ты уже знаешь Страунса? Неудивительно, что он нервничает: это же профессор Злей! Преподает зельеделие, но не по доброй воле: он давно метит на место Страунса, это все знают. Злей у нас близко знаком с силами зла.

Гарри еще понаблюдал за Злеем, но тот больше на него не смотрел.

Наконец испарились и десерты, а профессор Думбльдор снова встал. Зал смолк.

– Э-хем... Еще несколько слов, раз уж все, так сказать, политы и удобрены... Перед началом семестра хочу напомнить некоторые правила. Первоклассникам следует знать, что лес вокруг замка под запретом для всех учащихся без исключения. Об этом также не помешает вспомнить некоторым старшим ученикам. – Думбльдор сверкнул глазами на близнецов Уизли. – Кроме того, наш смотритель мистер Филч просил напомнить, что в коридорах на переменах применение магии запрещено. Далее: набор в команды по квидишу состоится на второй неделе семестра. Желающие играть за свой колледж должны обратиться к мадам Самогони. И наконец, предупреждаю, что в этом году вход на третий этаж в правом крыле воспрещен для всех, кто не желает умереть крайне мучительной смертью.

Гарри засмеялся, но поддержали его немногие.

– Он серьезно?

– Должно быть, – нахмурился Перси, не сводя глаз с Думбльдора. – Странно, обычно он объясняет, почему нельзя. Например, в лесу полно опасных чудищ, это все знают... Уж старостам-то мог бы сказать...

– А теперь, прежде чем отправиться на боковую, мы споем школьный гимн! – воскликнул Думбльдор.

Гарри заметил, что улыбки на лицах остальных преподавателей застыли.

Думбльдор тряхнул волшебной палочкой – легонько, будто прогонял с нее непрошеную муху, – и из палочки вылетела длинная золотая лента. Она взмыла над столами и зазмеилась, складываясь в слова.

– Выберите каждый свой любимый мотив, – сказал Думбльдор, – и – поехали!

И вся школа вразнобой затянула:

Хогварц, Хогварц, Хогги-Вогги-Хогварц,
Научи-и-и-и нас колдовать,
Пусть мы стары, пусть мы лысы
Иль юнцы мы белобрысы,
Всем нам очень пригодится
над наукой пострадать.
Знания у нас не густо, в головах
темно и пусто –
Тараканы, мыши, мухи, с паутиною на ухе,
Научи нас тем наукам, что никак
нельзя не знать,
Все, что знали, но забыли,
помогай нам вспоминать.
Постарайся нам помочь, а за это день и ночь
Обещаем мы учиться, мозг
почаще напрягать.

Все закончили петь в разное время. В конце концов остались только двойняшки Уизли, которые тянули слова под очень медленный похоронный марш. Думбльдор до последнего дирижировал им волшебной палочкой, а когда они допели, аплодировал громче всех.

– Ах, музыка, – сказал он, промакивая глаза. – Магия посильнее всего, чем мы тут занимаемся! Ну а сейчас – спать! Кыш!

Сквозь оживленную толпу первоклассники-гриффиндорцы вслед за Перси пошли из Большого зала вверх по мраморной лестнице. Ноги у Гарри налились свинцом – на сей раз оттого, что он наелся и устал. Ему так хотелось спать, что он уже ничему не удивлялся – ни тому, что люди на портретах в коридорах шептались и показывали на первоклашек пальцами, ни тому, что Перси порой вел их через двери, спрятанные за отодвигающимися панелями и стенными гобеленами... Зевая и волоча ноги, все карабкались по лестницам; стоило Гарри задуматься, долго ли еще идти, процессия замерла.

В воздухе висели трости, целая стая, – едва Перси сделал шаг, они принялись на него бросаться.

– Это Дрюзг, – шепотом объяснил Перси. – Полтергейст. – И приказал громко: – Дрюзг, покажись!

Ответом ему был громкий и неприличный фырчок – как будто воздух вырвался из воздушного шарика.

– Мне что, пожаловаться Кровавому Барону?

Раздался хлопок, и перед ними возник человечек со злыми темными глазками и широким ртом. Он висел в воздухе, сложив ноги по-турецки и обнимая целую вязанку тростей.

– Уууууу! – пропел он, недобро хохотнув. – Перьвокласьки! Вот умора-то!

И неожиданно спикировал прямо на них. Все пригнулись.

– Уйди, Дрюзг, а не то Барон все узнает, имей в виду! – рявкнул Перси.

Дрюзг показал ему язык и исчез, высыпав трости на голову Невиллу. Было слышно, как полтергейст уносится прочь, задевая на лету рыцарские доспехи.

– С Дрюзгом не связывайтесь, – предостерег Перси, когда они пошли дальше. – С ним справляется один Кровавый Барон – Дрюзг даже старост не слушается. Ну все, пришли.

В конце коридора висел портрет очень полной женщины в розовых шелках.

– Пароль? – спросила она.

– «Капут Draконис», – отозвался Перси, и портрет распахнулся им навстречу, открыв круглую дыру в стене. Один за другим все туда протиснулись – Невилла пришлось подсаживать – и очутились в общей гостиной «Гриффиндора», уютной круглой комнате, уставленной пухлыми креслами.

Девочек Перси направил в одну дверь к их спальне, мальчиков – в другую. Поднявшись по винтовой лестнице – очевидно, они оказались в башне, – мальчики наконец добрались до кроватей: пять штук, под балдахинами темно-красного бархата. Сундуки уже прибыли. Разговаривать сил не было, все натянули пижамы и плюхнулись в постели.

– Кормежка отличная, да? – пробормотал Рон из-за полога. – *Уйди*, Струпик! Жует простынку, представляешь?

Гарри хотел спросить, пробовал ли Рон пирожное с патокой, но не успел – заснул.

Наверное, он переел – ему приснился очень странный сон. На голове у него был тюрбан профессора Страунса, и тюрбан этот убеждал его срочно перевестись в «Слизерин», ибо такова его судьба. Гарри спорил с тюрбаном – мол, не хочу в «Слизерин», – а тюрбан все тяжелел и тяжелел. Гарри принялся его сдирать, но тот стал теснее, до боли стиснул голову – и тут появился Малфой, он смеялся, глядя, как Гарри сражается с тюрбаном, а потом Малфой превратился в учителя с крючковатым носом, Злея, тот захохотал пронзительно и холодно – вспыхнул ослепительно-зеленый свет, и Гарри проснулся весь дрожа и в поту.

Он перевернулся на другой бок и опять заснул, а наутро забыл свой сон начисто.

Глава восьмая

Профессор зельеделия

– Вон, гляди!

– Где?

– Рядом с рыжим дылдой.

– В очках?

– Видели его лицо?

– А шрам видели?

Шушуканье преследовало Гарри с той минуты, как он утром вышел из спальни. Школьники, ждавшие у классов, привставали на цыпочки, чтобы получше его рассмотреть, а то обгоняли, разворачивались и шли навстречу. Зря они так делали: тут бы дорогу в класс найти...

В «Хогварце» было сто сорок две лестницы: широкие и пологие, узкие и шаткие; одни по пятницам вели куда-то не туда; у других в середине исчезала ступенька – беда, если забудешь перепрыгнуть. Были двери, которые не откроются, пока вежливо не попросишь или не пощекочешь в нужном месте, и двери, которые вовсе не двери, а хорошо замаскированные стены. И крайне сложно оказалось запомнить, что где: всё вечно туда-сюда перемещалось. Люди на портретах то и дело шастали друг к другу в гости, и Гарри почти не сомневался, что рыцарские доспехи умеют ходить.

Привидения тоже радости не добавляли. Только соберешься открыть дверь, а на тебя сквозь нее кто-то выплывает – прямо хоть стой, хоть падай. Почти Безголовый Ник всегда любезно помогал найти дорогу опаздывающим гриффиндорцам-новичкам, зато полтергейст Дрюзг стоил двух заговоренных дверей и лестницы с секретом, вместе взятых. Он нахлобучивал на головы мусорные корзины, выдергивал из-под ног половики, забрасывал мелом или незримо подкрадывался и вцеплялся в нос с криком:

– Цоп за шнобель!

Хуже Дрюзга – если такое возможно – был смотритель Аргус Филч. Гарри с Роном умудрились разозлить его в первое же школьное утро. Филч застал их, когда они ломились в дверь, которая, увы, вела в запретный коридор на третьем этаже. Филч не поверил, что они потерялись, – решил, что нарочно хотели пробраться в неположенное место, и грозил заточить в подземелье, но мимо, на счастье, шел профессор Страунс – он их и выручил.

У Филча была кошка по имени миссис Норрис – костлявое существо пыльного цвета с выпученными глазами-фонарями, как у самого Филча. Кошка дежурила в коридорах самостоятельно. Стоило нарушить правила, буквально одним пальчиком преступить запретную черту, – и миссис Норрис уносилась за Филчем, а тот, пыхтя и сопя, прибегал через пару секунд. Филч лучше всех (кроме разве что близнецов Уизли) знал все тайные ходы школы и выскакивал как из-под земли не хуже любого призрака. Ученики дружно ненавидели его, и заветной мечтой многих было дать миссис Норрис хорошего пинка.

А сами занятия, когда наконец удавалось отыскать класс? Гарри вскоре понял, что колдовать – это вам не палочкой размахивать, бормоча загадочные слова.

По средам в полночь ученики рассматривали в телескоп ночное небо, зубрили названия звезд и траектории планет. Три раза в неделю они отправлялись в теплицы на заднем дворе изучать гербологию под руководством профессора Спарж, коренастой ведьмы, которая учила, как обращаться с незнакомыми травами и грибами и для чего их использовать.

По занудству остальные предметы превосходила, безусловно, история магии – и ее преподавал призрак. В глубокой старости профессор Биннз заснул однажды у камина в учительской, а наутро пришел на урок, оставив тело в кресле. Биннз бубнил, бубнил, а ученики записывали, записывали имена и даты, путая Эмерика Злющего с Уриком Пьющим.

Крошечный профессор Флитвик преподавал заклинания, стоя на большой стопке книг, – иначе его не было видно из-за кафедры. На первом занятии при перекличке он, прочитав фамилию Гарри, восторженно взвизгнул и сверзился на пол.

Профессор Макгонаголл тоже была ох как непроста. Гарри оказался прав: перечить ей не стоило. Строгая и умная, она на первом же занятии, едва разрешив сесть, сделала им внушение:

– Превращения – самое сложное и опасное колдовство, которое вам предстоит изучать в «Хогварце», – сказала она. – Поэтому все, кто будет валять дурака, покинут мой класс и больше сюда не вернутся. Я вас предупредила.

После чего превратила стол в свинью и обратно. Это произвело колоссальное впечатление, и всем не терпелось начать, но вскоре стало ясно, что делать из мебели животных им не придется еще очень долго. Они усердно записывали сложные объяснения, а потом каждому выдали по спичке и велели превратить ее в иголку. К концу урока лишь Гермиона Грейнджер смогла добиться хоть каких-то результатов; профессор Макгонаголл показала всему классу, что спичка стала серебряная и острая на конце, и одарила Гермиону редкой улыбкой.

Все с нетерпением ждали первого урока по защите от сил зла, но занятия у профессора Страунса оказались какой-то нелепицей. В классе оглушительно пахло чесноком – по слухам, чтобы отпугнуть вампира, который напал на Страунса в Румынии, – профессор опасался, что вампир непременно за ним вернется. Тюрбан, объяснил он ученикам, ему подарил один африканский принц в благодарность за избавление от хулиганствующего зомби, но класс как-то не поверил этой истории. Во-первых, когда любопытный Шеймас Финниган стал расспрашивать о битве с зомби, профессор Страунс покраснел и заговорил о погоде, а во-вторых, тюрбан странно пах – близнецы Уизли утверждали, что и там полно чеснока для круглосуточной защиты профессора Страунса.

Гарри с облегчением понял, что не так уж отстает от других. Многие первоклассники были из семей муглов и, как и он, еще недавно понятия не имели, что они колдуны и ведьмы. А учить приходилось так много, что даже у Рона фора была невелика.

Пятница стала для Гарри и Рона великим днем: им удалось попасть на завтрак в Большой зал, ни разу не заблудившись.

– Что у нас сегодня? – спросил Гарри, посыпая овсянку сахаром.

– Первая пара – зельеделие со слизеринцами, – ответил Рон. – Злей в «Слизерине» куратор. Говорят, он им во всем потворствует – ну, посмотрим.

– Хорошо бы Макгонаголл потворствовала нам, – сказал Гарри. Профессор Макгонаголл, хоть и была куратором «Гриффиндора», вчера по уши загрузила своих домашней работой.

Прибыла почта. Сейчас Гарри уже привык, но в первое утро оторопел, когда в Большой зал во время завтрака влетела добрая сотня сов и закружила над столами, разыскивая хозяев, а потом побросала им на колени письма и посылки.

До сих пор Хедвига ничего не приносила – лишь иногда подлетала и пощипывала Гарри за уши или клевала гренки, а затем улетала спать в совяльню с остальными птицами. Нынче же она уселась между вазочкой с джемом и сахарницей и бросила записку Гарри на тарелку. Тот немедленно вскрыл послание. Очень кривыми каракулями там было написано:

Дорогой Гарри,

Знаю, что в пятницу после обеда ты свободен, не желаешь ли попить со мной чайку, часика в три? Расскажешь про первую неделю в школе. Шли ответ с Хедвигой.

Огрид

Гарри одолжил у Рона перо, нацарапал «Конечно, хочу, увидимся» на обороте листка и отослал Хедвигу.

Перспектива чаепития с Огридом пришлась очень кстати, иначе урок зельеделия стал бы совсем невыносим: до сих пор ничего отвратнее с Гарри в школе не случалось.

На пиру в честь начала учебного года Гарри показалось, что профессору Злею он не понравился. К концу первого урока зельеделия Гарри понял, что был неправ. Он не просто не понравился Злею – тот его прямо-таки *возненавидел*.

Занятия проводились в одном из подземелий. Там было гораздо холоднее, чем в самом замке, и мурашки бегали бы по телу в любом случае – даже без заспиртованных животных, что плавали в банках, выстроившихся на полках вдоль стен.

Злей, как и Флитвик, начал урок с переклички и тоже сделал паузу на фамилии Гарри.

– Ах да, – тихо проговорил он, – Гарри Поттер. Наша новая... *знаменитость*.

Драко Малфой и его дружки Краббе и Гойл захихикали в ладошки. Злей закончил перекличку и оглядел класс. Глаза его были черны, как у Огрида, но в них ничего не теплилось: они были пусты и холодны, словно темные норы.

– Вы пришли сюда изучать точную науку и тонкое искусство приготовления волшебных снадобий, – начал он почти шепотом, но ученики ловили каждое слово: как и профессор Макгонаголл, Злей владел даром без труда завладевать вниманием. – Поскольку здесь не требуется глупо махать палочками, многие из вас, пожалуй, не поверят, что это магия. Едва ли вы сумеете оценить красоту тихо кипящего котла и мерцающих испарений, нежную силу жидкостей, что крадутся по человечьим венам, околдовывают ум, порабощают чувства... Я научу вас бутилировать славу, заваривать отвагу, даже закупоривать смерть... если вы не такие же куриные головы, каких мне обычно приходится учить.

За этой краткой речью вновь последовало молчание. Гарри и Рон переглянулись, задрав брови. Гермиона Грейнджер ерзала на краешке стула и явно мечтала срочно доказать, что она не куриная голова.

– Поттер! – вдруг вызвал Злей. – Что получится, если смешать толченый корень златоцветника с настойкой артемизии?

Толченый корень чего с настойкой чего? Гарри глянул на Рона – тот был ошарашен ничуть не меньше, зато рука Гермионы так и взлетела.

– Я не знаю, сэр, – ответил Гарри.

Губы Злея скривились.

– Ай-ай-ай... М-да, на одной славе далеко не уедешь.

На Гермиону он не обратил внимания.

– Попробуем еще. Поттер, где бы вы стали искать, если б я попросил вас принести безоар?

Гермиона тянула руку, едва не вскакивая с места, но Гарри понятия не имел, что такое безоар. Он старался не смотреть, как умирают от хохота Малфой, Краббе и Гойл.

– Не знаю, сэр.

– Полагаю, до школы вы и не заглядывали в книги... Верно, Поттер?

Гарри заставлял себя смотреть в эти холодные глаза. В книги он заглядывал, но неужто надо было запомнить все, что написано в «Тысяче волшебных трав и грибов»?

Злей по-прежнему не обращал внимания на дрожащую от напряжения руку Гермионы.

– В чем разница, Поттер, между волчьим корнем и синим борцем?

Тут Гермиона вскочила, вытянув руку к потолку.

– Я не знаю, – спокойно ответил Гарри. – Зато, кажется, знает Гермиона – может, спросите ее?

Раздались смешки; Гарри встретился глазами с Шеймасом, и тот подмигнул. Злей, однако, шутки не оценил.

– Сядьте, – рявкнул он Гермионе. – К вашему сведению, Поттер, златоцветник с артемизией, она же полынь, образуют снотворное зелье такой силы, что его называют «глоток живой смерти». Безоаровый камень извлекается из желудка козла и спасает от большинства ядов. Что же до волчьего корня и синего борца, это одно и то же растение, известное также под названием «аконит». Ну-с? Почему никто не записывает?

Послышался лихорадочный шелест пергамента и скрип перьев. В этом шуме Злей тихо произнес:

– С колледжа «Гриффиндор» по вашей милости вычитается один балл, Поттер. За дерзость.

Урок продолжался, и положение «Гриффиндора» не улучшилось. Злей разбил класс на пары и велел всем смешать несложное зелье от прыщей. В своем длинном черном плаще он стремительно расхаживал по классу, наблюдая, как ученики взвешивают сушеную крапиву и толкут змеиные клыки, и критиковал всех и каждого – кроме Малфоя, который, кажется, пришелся ему по нраву. Злей как раз призвал всех посмотреть, как идеально Малфой выварил рогатых улиток, но тут повалили клубы зеленого едкого дыма и что-то громко зашипело. Это Невилл умудрился расплавить котел Шеймаса, олово растеклось, и зелье ползло по каменному полу, прожигая дырки в башмаках. В считаные секунды все повскакали на стулья. Когда котел расплавился, Невилла обдало зельем, и теперь он стонал от боли: по его рукам и ногам быстро вспухали красные чирьи.

– Идиот! – рявкнул Злей, убирая лужу мановением волшебной палочки. – Вы что, положили иглы дикобраза, не сняв котел с огня? – Невилл захныкал: чирьи уже добрались до носа. – Отведите его в лазарет, – рявкнул Злей Шеймасу. И тут же обрушился на Гарри и Рона, работавших рядом с Невиллом: – Вы, Поттер, – почему вы не помешали ему добавить иглы? Хотели покрасоваться на его фоне? Я умник, а он дурак? Что же, из-за вас «Гриффиндор» потерял еще один балл.

Это было так несправедливо! Гарри открыл рот, но Рон пнул его за котлом и шепнул:

– Не лезь на рожон. Говорят, в гневе он страшен.

Когда через час они карабкались из подземелья по ступенькам, ужасно расстроенный Гарри никак не мог успокоиться. Из-за него «Гриффиндор» потерял два балла в первую же неделю... Отчего же Злей так его ненавидит?

– Наплюй, – утешил Рон. – У Фреда и Джорджа он тоже вечно баллы вычитает. Можно, я пойду с тобой к Огриду?

Без пяти три они вышли из замка и отправились через всю территорию к опушке Запретного леса, где в деревянной хижине жил Огрид. У входной двери стояли арбалет и пара галош.

Гарри постучал. Внутри кто-то отчаянно зацарапался и гулко загавкал. Потом раздался голос Огрида:

– *Назад*, Клык, *назад*.

Дверь приоткрылась, и в щели появилась бородища Огрида.

– Погодь, – сказал он. – *Назад*, Клык.

Он впустил гостей, оттаскивая за ошейник здоровенного черного немецкого дога.

В хижине была всего одна комната. С потолка свисали окорока и фазаны, на открытом огне кипел медный чайник, а в углу стояла массивная кровать под лоскутным одеялом.

– Будьте как дома, – пригласил Огрид, отпуская Клыка.

Пес тут же бросился вылизывать Рону уши. Как и у хозяина, свирепость у псины была напускная.

– Это Рон, – сказал Гарри.

Огрид между тем лил кипяток в большой заварочный чайник и выкладывал на тарелку печенье с изюмом.

– Опять Уизли, а? – спросил Огрид, глянув на веснушки Рона. – Полжизни убил, гоняя братишек твоих из лесу.

О печенье легко было сломать зубы; Гарри с Роном, делая вид, будто им нравится, поведали Огриду о первых школьных уроках. Клык положил голову Гарри на колени и обслюнявил ему всю мантию.

Рон и Гарри пришли в восторг, когда Огрид обозвал Филча «старой сволочью».

– А эта его кошатина, миссис Норрис, – ее бы с Клыком познакомить, а? Как я в школу ни зайду, она за мной хвостом таскается. Не отлепишь – это ее Филч науськивает.

Гарри рассказал про урок Злея. Огрид, как и Рон, посоветовал не волноваться, Злею вообще ученики не нравятся.

– Но меня он прямо *ненавидит*.

– Да ерунда! – отмахнулся Огрид. – С какой такой стати?

И все-таки Гарри показалось, что при этих словах Огрид отвел взгляд.

– А как там твой братец Чарли? – спросил тот у Рона. – Хороший парень – с животиной ладит.

Как будто нарочно тему сменил, подумал Гарри. Пока Рон рассказывал, как Чарли работает с драконами, Гарри вытащил бумажку из-под чайной бабы – вырезку из «Оракула».

НОВОСТИ О ВЗЛОМЕ В БАНКЕ «ГРИНГОТТС»

Продолжается расследование взлома в банке «Гринготтс», 31 июля предпринятого, по общему мнению, неизвестными черными колдунами или ведьмами.

Банковские гоблины утверждают, что похищено ничего не было. Взломщики проникли в ячейку, которая была освобождена немногим ранее в тот же день.

«Однако мы не намерены сообщать, что там хранилось, а любопытным, которые не хотят лишиться носов, советуем не совать их куда не надо», – заявил сегодня днем гоблин по связям с общественностью.

Да, точно – в поезде Рон говорил, что кто-то пытался ограбить «Гринготтс», но не сказал, когда это случилось.

– Огрид! – воскликнул Гарри. – Взлом в «Гринготтсе» – это же в мой день рождения! Может, как раз когда мы там были!

На сей раз сомнений не оставалось: Огрид не смотрел ему в глаза. Буркнул что-то и протянул еще печенье. Гарри перечитал заметку: «...в ячейку, которая была освобождена немногим ранее в тот же день». Огрид освободил ячейку номер семьсот тринадцать – хотя «освободил», пожалуй, сильно сказано: подумаешь, забрал мятый пакетик. Неужели неизвестные воры охотились за ним?

По пути в замок на ужин, до отказа набив карманы каменным печеньем, от которого неловко было отказаться, Гарри решил, что еще ни один урок не давал ему столько поводов для раздумий, как чаепитие с Огридом. Значит, Огрид забрал пакет вовремя? И где же этот пакет теперь? И знает ли Огрид про Злея такое, о чем не желает говорить?

Глава девятая

Полуночная дуэль

Раньше Гарри ни за что бы не поверил, что на свете есть типы отвратительней Дудли, – но это было до знакомства с Драко Малфоем. К счастью, со слизеринцами первоклассники «Гриффиндора» встречались только на зельеделии, так что терпеть Малфоя приходилось нечасто. Но потом в общей гостиной «Гриффиндора» повесили объявление, от которого все дружно застонали: в четверг начинались летные занятия – «Гриффиндор» вместе со «Слизерином».

– Нормальненько, – мрачно буркнул Гарри. – Всю жизнь мечтал. Свалиться с метлы на глазах у Малфоя.

Он так ждал, так хотел учиться летать.

– Может, и не свалишься, откуда ты знаешь, – резонно заметил Рон. – И Малфой, конечно, повсюду трубит, какой он весь из себя в квидише, но это наверняка трепотня.

Малфой и правда о полетах только и долдонил: громко сетовал, что первоклассников не принимают в квидишные команды, и рассказывал длинные красочные байки с неизменным финалом – как лихо он увернулся от вертолета с муглами. Впрочем, Малфой был не одинок: послушать Шеймаса Финнигана, так тот все свое деревенское детство только и шнырял на метле. Даже Рон не упускал случая поведать всем и каждому, как он на старой метле Чарли чудом избежал столкновения с дельтапланом. Отпрыски колдовских семей без конца обсуждали квидиш. Рон однажды чуть не подрался с Дином Томасом, который жил с ними в одной комнате, – и все из-за футбола. Рон не постигал, что хорошего в игре с одним мячом, где нельзя летать. Гарри подглядел, как Рон пробовал расшевелить футболистов «Уэст-Хэма» на плакате.

Невилл не летал ни разу – бабушка и близко не подпускала его к метле. Может, оно и правильно, думал Гарри: Невилл и по земле шагу не мог ступить без происшествия.

Гермиона Грейнджер волновалась не меньше Невилла: летать не научишься по книгам, хотя она, конечно, пробовала. В четверг за завтраком она едва не довела всех до обморока, пересказывая летные советы, почерпнутые из библиотечной книги «Квидиш сквозь века». Невилл внимал каждому слову, отчаянно надеясь, что это поможет ему удержаться на метле, но остальные вздохнули с облегчением, едва лекцию Гермионы прервала почтовая доставка.

После записки от Огрида письма Гарри больше не приходили, что Малфой, разумеется, быстро приметил. Ему-то филин ежедневно таскал из дома коробки со сластями, и Драко демонстративно вскрывал их за слизеринским столом.

Сипуха принесла Невиллу посылку от бабушки. Тот радостно вскрыл пакет и достал стеклянный шар, похожий на игральный и наполненный каким-то белым дымом.

– Это Вспомнивсёль! – объяснил Невилл. – Бабушка знает, что я вечно все забываю, а эта штука напоминает, если что забыл. Смотрите: надо его сжать покрепче, и, если он покраснеет... Ой! – Лицо у него вытянулось, потому что Вспомнивсёль побагровел. – Значит, что-то забыл...

Пока Невилл вспоминал, что же он забыл, Драко Малфой, проходя мимо, выхватил Вспомнивсёль у него из рук.

Гарри и Рон вскочили. Втайне они давно искали повод проучить Малфоя. К несчастью, профессор Макгонаголл с ее удивительным нюхом на потасовки в мгновение ока оказалась рядом:

– В чем дело?

– Малфой отобрал мой Вспомнивсёль, профессор.

Малфой злобно швырнул Вспомнивсёль на стол.

– Посмотреть хотел, – бросил он и слинял вместе с Краббе и Гойлом.

В половине четвертого Гарри, Рон и остальные гриффиндорцы торопливо сбежали с крыльца на первое в жизни летное занятие. День стоял ясный и ветреный, и трава зыбилась под ногами, когда они по склону спускались к ровной лужайке на краю угодий, за которой мрачно качались деревья Запретного леса.

Слизеринцы уже собрались. На земле аккуратно лежали двадцать метел. Гарри однажды слышал, как Фред и Джордж Уизли жаловались, что некоторые школьные метлы трясутся, если залетишь слишком высоко, а кое-какие вечно забирают влево.

Пришла учительница, мадам Самогони – невысокая и седая, с желтыми ястребиными глазами.

– Ну и чего мы ждем? – рявкнула она. – Встали рядом с метлами. Живо!

Гарри посмотрел на доставшуюся ему метлу – видавшую виды, с растрепанным помелом.

– Вытяните правую руку над метлой, – велела мадам Самогони всему строю, – и скажите: «К руке!»

– К РУКЕ! – закричал нестройный хор.

Метла Гарри тотчас вскочила ему в руку, но так получилось далеко не у всех. Метла Гермионы Грейнджер откатилась, а у Невилла не шевельнулась вовсе. Наверное, метлы, как лошади, чувствуют, когда их боишься, подумал Гарри: голос Невилла дрогнул, и было ясно, что ему вообще неохота отрываться от земли.

Мадам Самогони показала, как садиться, чтобы не соскальзывать, и принялась расхаживать между учениками, поправляя положение рук. Гарри с Роном порадовались, когда она объяснила Малфою, что тот всю жизнь сидел на метле неправильно.

– По свистку с силой оттолкнитесь от земли, – продолжала мадам Самогони, – и держите метлу ровно. Поднимитесь на несколько футов, затем спускайтесь, слегка наклонившись вперед. Итак, по свистку: раз... два...

Невилл, совсем издергавшись и опасаясь, что у него не получится взлететь, с силой оттолкнулся, не успела мадам Самогони поднести свисток к губам.

– Мальчик, вернись! – закричала она, но Невилл выстрелил вверх как пробка из бутылки: двенадцать футов... двадцать... Гарри увидел, как побелевший Невилл в ужасе глянул вниз, ахнул, соскользнул с метлы и...

ШМЯК! Ужасный хруст – и Невилл распластался на траве ничком. А метла его поднималась все выше, затем легла на курс и лениво поплыла к Запретному лесу, где и скрылась из виду.

Мадам Самогони, побелев не меньше Невилла, склонилась над мальчиком.

– Запястье сломано, – услышал Гарри. – Давай, мальчик, – ничего страшного, подымайся. – Она повернулась к остальным: – Я отведу его в лазарет, а вам – не сходить с места и метлы пальцем не трогать, ясно? Иначе вылетите из «Хогварца», не успев и «квидиш» вымолвить. Ну, пойдем, милый.

Заплаканный Невилл, бережно держа руку на весу, похромал рядом с мадам Самогони, а та осторожно поддерживала его за плечи.

Едва они отошли, Малфой расхохотался:

– Видели рожу этого мешка с картошкой?

Остальные слизеринцы тоже засмеялись.

– Заткнись, Малфой! – рявкнула Парвати Патил.

– Лонгботтома защищаем? – презрительно удивилась Панси Паркинсон, слизеринка с жестким лицом. – Что, Парвати, запала на жирного плаксу?

– Смотрите! – крикнул Малфой, отбежал и что-то подхватил с земли. – Дурацкая эта штука, Лонгботтому бабка прислала.

Малфой поднял Вспомнивсёль, и тот засверкал на солнце.

– Дай сюда, Малфой, – негромко проговорил Гарри.

Все смолкли и с любопытством ждали, что будет дальше.

Малфой мерзко ухмыльнулся:

– Оставлю его где-нибудь, чтоб Лонгботтом сразу увидел... К примеру, скажем... на дереве?

– Дай *сюда!* – заорал Гарри, но Малфой вскочил на метлу и взлетел. Он не врал – летать он умел неплохо. Зависнув у верхних ветвей дуба, он крикнул:

– А ну-ка отними, Поттер!

Гарри схватил метлу.

– *Нет!* – закричала Гермиона. – Мадам Самогони велела не сходить с места! Из-за тебя всем достанется!

Но Гарри не слушал. Кровь громко стучала в ушах. Он оседлал метлу, с силой оттолкнулся от земли – и тут же взмыл, выше и выше; ветер трепал ему волосы, полы одежды хлопали сзади – и волна жгучего наслаждения окатила его. Наконец-то нашлось то, что он умеет без всякого обучения. Летать было просто – и *прекрасно!* Гарри слегка потянул метлу на себя, поднялся еще выше. Снизу неслись визги и вопли девочек, восторженное гиканье Рона.

Гарри резко развернул метлу и оказался лицом к лицу с Малфоем. Тот остолбенел.

– Дай сюда, – повторил Гарри, – а то скину с метлы!

– Да ну? – ответил Малфой, выдавив усмешку, но все-таки явно струсив.

Гарри почему-то знал, что надо делать. Он подался вперед, крепко ухватил метлу обеими руками, и та копьем понеслась на Малфоя. Малфой увернулся в последний миг, а Гарри залихватски вышел из виража и выровнялся. С земли зааплодировали.

– Что, Малфой, тут тебе никаких Краббе и Гойлов – кто ж тебя спасать будет? – поинтересовался Гарри.

Малфой, видимо, думал о том же.

– Тогда лови! – крикнул он и подбросил стеклянный шар как можно выше, а сам устремился к земле.

Словно в замедленной съемке, шар взлетел, затем начал падать. Гарри прильнул к метле и направил древко вниз – и спустя секунду, гонясь за шаром, уже стремительно набирал скорость в почти отвесном падении. Ветер свистел в ушах, снизу визжали. Гарри протянул руку – и в футе от земли подхватил шар, едва успел выровнять метлу и мягко приземлился на траву, в кулаке сжимая Вспомнивсёль.

– ГАРРИ ПОТТЕР!

Сердце Гарри провалилось куда-то вниз быстрее, чем спикировал на землю он сам. К ним бежала профессор Макгонаголл. Гарри дрожа поднялся с земли.

– *Никогда* – за все годы в «Хогварце»... – Потрясение едва не лишило профессора Макгонаголл дара речи. Ее очки грозно сверкали: – Как ты *посмел*... ты мог сломать шею...

– Он не виноват, профессор...

– Помолчите, мисс Патил...

– Но Малфой...

– *Тихо*, мистер Уизли. Поттер, следуйте за мной. Сейчас же.

Уходя, Гарри заметил торжествующие физиономии Малфоя, Краббе и Гойла. Он понуро брел за профессором Макгонаголл. Его исключат, это ясно. Хотелось что-то сказать, оправдаться, но голос отчего-то не слушался. Профессор Макгонаголл шагала решительно и ни разу не обернулась; он едва не бежал, поспевая за ней. Вот и все. Он не продержался в школе и двух недель. Через десять минут он будет паковать вещи. Что скажут Дурслеи, увидев его на пороге?

Вверх по ступеням главного входа, вверх по внутренней мраморной лестнице – а профессор Макгонаголл все молчала. Она шагала по коридорам, с силой распахивая двери. Гарри обреченно трусил следом. Должно быть, его ведут к Думбльдору. Он вспомнил про Огрида – его же исключили, но оставили лесником. Может, Гарри согласятся оставить помощником Огрида?

У него скрутило живот от мысли, что Рон и остальные будут учиться на колдунов, а он – таскать сумки за Огридом...

Профессор Макгонаголл остановилась, приоткрыла дверь кабинета и сунула внутрь голову:

– Извините, профессор Флитвик, можно мне Древа? На минутку?

«Древа?» – в панике подумал Гарри. Это что – палка? Его сейчас отлупят?

Но Древ оказался человеком – крепышом пятиклассником. Он вышел из кабинета профессора Флитвика в некотором замешательстве.

– За мной, оба, – приказала профессор Макгонаголл, и они строем отправились по коридору. Древ на ходу с любопытством поглядывал на Гарри. – Входите.

Профессор Макгонаголл распахнула дверь в другой класс – там никого не было, только Дрюзг деловито расписывал доску неприличными словами.

– Убирайся, Дрюзг! – рявкнула она. Дрюзг с грохотом уронил мел в урну и вылетел из комнаты, бормоча проклятия. Профессор Макгонаголл захлопнула за ним дверь и повернулась к мальчикам: – Поттер, это Оливер Древ. Древ, я нашла вам Ловчего.

Озадаченный Древ сразу возликовал:

– Серьезно, профессор?

– Абсолютно, – сухо кивнула профессор Макгонаголл. – Прирожденный Ловчий! Никогда такого не видела. Вы ведь впервые на метле, Поттер?

Гарри молча кивнул. Он совершенно не понимал, что творится, но его, кажется, не исключают... Ноги начали оживать.

– Он подхватил эту штуку рукой, обрушившись за ней с пятидесяти футов, – сообщила профессор Макгонаголл Древу. – И ни царапины. Даже Чарли Уизли так бы не смог.

Древ засиял, будто у него в одночасье сбылись все мечты.

– Видел, как играют в квидиш, Поттер? – возбужденно спросил он.

– Древ – капитан гриффиндорской команды, – пояснила профессор Макгонаголл.

– И сложение у него как раз для Ловчего. – Древ обошел Гарри кругом и оценивающе осмотрел со всех сторон. – Легкий, быстрый... Надо бы подобрать ему приличную метлу, профессор. «Нимбус-2000» или, может, «Чистую Победу-7».

– Прежде я спрошу профессора Думбльдора, нельзя ли обойти правило касательно первоклассников. Небесам ведомо, как нам необходима команда получше, чем в том году. В последнем матче слизеринцы нас *размазали*, я потом месяц не могла смотреть Злотеусу Злею в глаза... – Профессор Макгонаголл вперила в Гарри суровый взгляд поверх очков: – Надеюсь, вы будете тренироваться изо всех сил, Поттер, иначе я могу и передумать насчет наказания. – И вдруг улыбнулась: – Отец бы вами гордился. Он превосходно играл в квидиш.

– Шутишь.

Это было за ужином. Гарри едва досказал Рону, что случилось, когда его увела профессор Макгонаголл. У Рона во рту застрял кусок мясного пирога с почками, но об этом он начисто позабыл.

– Ловчим? – переспросил он. – Но первоклассников *никогда*... Ты будешь самый молодой игрок за последние...

– Сто лет, – договорил за него Гарри и принялся за пирог. После сегодняшних треволнений он ужасно оголодал. – Древ говорил.

Рон был так потрясен, так восхищен, что не находил слов – сидел и пялился разинув рот.

– Тренировки со следующей недели, – сказал Гарри. – Только не говори никому, Древ велел помалкивать.

В зал вошли Фред и Джордж Уизли – огляделись, увидели Гарри и подбежали.

– Молодец, – шепнул Джордж. – Древ нам сказал. Мы тоже в команде – мы Отбивалы.

– Говорю тебе, в этом году отвоюем кубок, – сказал Фред. – Мы еще ни разу не выигрывали после Чарли, но теперь отличная подбирается команда. А ты, видать, и правда могёшь, Гарри, – Древ аж до потолка прыгал.

– Ладно, нам пора, Ли Джордан говорит – нашел новый потайной ход из школы.

– Наверняка тот, за статуей Грегори Льстивого – мы его нашли еще в первую неделю. Все, пока!

Не успели отойти Фред с Джорджем, появились куда менее приятные личности: Малфой, Краббе и Гойл.

– Прощальный ужин, да, Поттер? Во сколько поезд в Мугляндию?

– На земле со своими маленькими дружочками ты гораздо храбрее, – хладнокровно произнес Гарри. Конечно, Краббе и Гойл были далеко не маленькими, но поблизости от Высокого стола и учителей громилам оставалось только щелкать суставами и кроить морды.

– Я и один против тебя выйду в любое время, – заявил Малфой. – Если желаешь – хоть сегодня вечером. Колдовская дуэль. Без контакта – одни волшебные палочки. Что, не слыхал про колдовские дуэли?

– Разумеется, слыхал, – вмешался Рон. – Я буду секундантом, а у тебя кто?

Малфой смерил взглядом своих приятелей.

– Краббе, – решил он. – В полночь годится? Встретимся в трофейной, ее не запирают.

Когда Малфой ушел, Рон и Гарри переглянулись.

– Колдовская дуэль – это что? – спросил Гарри. – И что значит «буду секундантом»?

– Секундант занимает место дуэлянта, если тот погибнет, – беззаботно ответил Рон, наконец приступая к остывшему пирогу. Однако, заметив, какое у Гарри стало лицо, поспешно добавил: – Но погибают на настоящих дуэлях, понимаешь, когда колдуны взаправдашние. А вы с Малфоем в самом страшном случае обсыплете друг друга искрами. Вы не умеете такого, чтобы по-настоящему навредить. Наверняка он ждал, что ты откажешься.

– А если я взмахну палочкой – и ничего?

– Бросишь палочку и дашь ему по носу, – нашелся Рон.

– Прошу прощения.

Друзья подняли глаза. Перед ними стояла Гермиона Грейнджер.

– Нам вообще поесть спокойно дадут? – возмутился Рон.

Гермиона не обратила на него внимания и заговорила с Гарри:

– Я не могла не услышать ваш разговор с Малфоем...

– А вот спорим, *могла*, – пробормотал Рон.

– ...и считаю, что ты *не смеешь* ходить по школе ночью! Подумай, сколько баллов потеряет «Гриффиндор», если тебя поймают, – а тебя обязательно поймают. С твоей стороны это очень эгоистично.

– Но тебя совершенно не касается, – ответил Гарри.

– До свидания, – прибавил Рон.

Не лучшее завершение прекрасного дня, думал Гарри, лежа в постели без сна и слушая, как засыпают Дин и Шеймас (Невилл остался в лазарете). Рон весь вечер давал Гарри советы, например: «Если он попытается тебя проклясть, увернись, а то я не помню, как блокируются проклятья». Опять же велик риск попасться в лапы Филчу или миссис Норрис, и Гарри прекрасно понимал, что искушает судьбу, нарушая второе школьное правило за день. Но в темноте перед глазами маячила наглая рожа Малфоя – и манил шанс разобраться с ним один на один...

– Полдвенадцатого, – наконец прошептал Рон. – Пора.

Они облачились в халаты, взяли палочки, крадучись выбрались из спальни и по винтовой лестнице спустились в общую гостиную. Угли еще тлели в камине, и кресла в полумраке смахивали на черных чудищ. Друзья уже подходили к выходу за портретом, и вдруг из ближнего кресла донесся голос:

– Я не верю, Гарри, что ты на такое способен.

Зажглась лампа. В кресле сидела Гермиона Грейнджер – в розовом халате и очень мрачная.

– *Ты!* – возмутился Рон. – Иди спать!

– Я чуть не рассказала твоему брату, – резко ответила Гермиона. – Перси. Он староста, он бы такого не допустил.

«Вот бывают же приставалы», – поразился Гарри.

– Пошли, – сказал он Рону, поднял портрет Толстой Тети и выбрался через дыру.

Но Гермиона не собиралась сдаваться. Она полезла вслед за Роном, шипя как разъяренная гусыня.

– Вы *совсем* не думаете о «Гриффиндоре», вы думаете только о *себе*, я не желаю, чтобы слизеринцы выиграли кубок, а из-за вас мы потеряем все баллы, что я получила от профессора Макгонаголл за превращальные заклинания.

– Уйди, пожалуйста.

– Я уйду, но я вас предупредила, вы еще вспомните мои слова – в поезде, когда вас отправят домой. Какие же вы все-таки...

Какие именно, они так и не узнали. Гермиона повернулась к портрету Толстой Тети, но перед ней висел чистый холст. Толстая Тетя, пользуясь свободной минутой, отправилась в гости, а Гермиона осталась под дверью гриффиндорской башни.

– Что же мне теперь делать? – пронзительно поинтересовалась она.

– Что хочешь, – ответил Рон. – А нам пора, мы и так опаздываем.

Они не дошли и до конца коридора, когда Гермиона их догнала.

– Я с вами, – заявила она.

– Вот еще.

– Мне что, стоять и дожидаться, пока меня сцапает Филч? Если он поймает всех, я скажу правду, что пыталась вас остановить, а вы подтвердите.

– Хватает же наглости... – громко начал Рон.

– Тихо, вы! – прикрикнул Гарри. – Я что-то слышал.

До них донеслись всхлипы.

– Миссис Норрис? – выдохнул Рон, вглядываясь в темноту.

Нет, не миссис Норрис. Невилл. Он свернулся клубком на полу и спал, но вздрогнул и проснулся, едва они к нему подкрались.

– Вы меня нашли! Какое счастье! Я уж и не знаю, сколько здесь сижу. Я новый пароль забыл.

– Тише, Невилл. Пароль «поросячий пятачок», но он тебе не поможет – Толстая Тетя куда-то ушла.

– Как рука? – спросил Гарри.

– Нормально, – ответил Невилл, вытянув руку. – Мадам Помфри все вылечила за секунду.

– Отлично... Слушай, Невилл, нам тут кое-куда надо, увидимся позже...

– Не уходите! – взмолился Невилл, вскакивая на ноги. – Я один боюсь, тут уже два раза Кровавый Барон проходил.

Рон посмотрел на часы, а затем с возмущением – на Гермиону и Невилла:

– Если в итоге нас поймают, я выучу козявочное проклятие Страунса и испробую на вас.

Гермиона открыла рот – возможно, хотела сообщить Рону, как применяется козявочное проклятие, – но Гарри страшным шепотом велел ей помалкивать и поманил всех за собой.

Они неслись по коридорам, располосованным лунным светом из высоких окон. На каждом повороте Гарри готовился встретиться с Филчем или миссис Норрис, но им везло. Взбежав на третий этаж, они на цыпочках прокрались к трофейной.

Малфой и Краббе еще не явились. Хрустальные витрины с трофеями посверкивали в лунном свете. Кубки, щиты, пластины и статуи мерцали в темноте золотом и серебром. Ребята жались к стенам, следя за обеими дверьми. Гарри вытащил волшебную палочку – вдруг Малфой выскочит и застанет его врасплох. Минуты ползли медленно.

– Опаздывает – может, струсил, – прошептал Рон.

И тут их всполошил шум за стеной. Гарри едва повел волшебной палочкой, как вдруг раздался чей-то голос – и отнюдь не Малфоя:

– Принюхайтесь, моя сладенькая, – может, они забились в угол.

Филч и миссис Норрис! Гарри в ужасе бешено замахал руками – мол, быстро за мной, – и они безмолвно кинулись к двери, прочь от Филча. Полы мантии Невилла едва исчезли за углом, как Филч вошел в трофейную.

– Они где-то здесь, – донеслось его озабоченное бормотание, – должно быть, прячутся.

– Сюда! – одними губами произнес Гарри, и они в страхе крадучись двинулись по длинной галерее меж доспехов. Филч, похоже, приближался. Невилл испуганно пискнул и бросился бежать, но поскользнулся, вцепился в Рона, и вдвоем они повалились на чьи-то сверкающие латы.

Лязг и грохот разбудили, наверное, весь замок.

– БЕЖИМ! – заорал Гарри, и все четверо ринулись вон из галереи, даже не оглядываясь, чтобы узнать, гонится ли за ними Филч.

Заложив вираж вокруг дверного косяка, они галопом понеслись по коридору, затем свернули в другой – Гарри впереди и без малейшего понятия, где они и куда бегут. Они прорвались сквозь гобелен, за ним нашли тайный ход, промчались по нему и очутились у кабинета заклятий – за много миль от трофейной.

– Кажется, оторвались, – пропыхтел Гарри, прислонившись к холодной стене и вытирая пот со лба. Невилл перегнулся пополам, сипя и побулькивая.

– Я... вам... *говорила...* – прерывисто твердила Гермиона, прижимая ладонь к саднящей груди, – говорила... я... вам...

– Надо назад в гриффиндорскую башню, – сказал Рон, – и как можно скорее.

– Провел тебя Малфой, Гарри, – сказала Гермиона. – Сам-то понимаешь? Он и не собирался приходить – зато Филч знал, что кто-то будет в трофейной. Видимо, Малфой и донес.

Про себя Гарри согласился, что она, вероятно, права, но не признавать же этого вслух.

– Пошли, – сказал он.

Не тут-то было. Не успели они сделать и десятка шагов, как поблизости задрожала дверная ручка и прямо на них пулей вылетело нечто.

Дрюзг. Увидев компанию, он от восторга взвизгнул.

– Тише, Дрюзг... ну пожалуйста, а то нас выгонят.

Дрюзг захихикал:

– Гуляем по ночам, перьвокласськи? Ай-ай-ай. Кто на месте не сидит, тот из школы улетит.

– Мы не улетим, если ты нас не выдашь. Пожалуйста, Дрюзг.

– Но я обязан сказать Филчу, просто обязан, – произнес Дрюзг тоном истинного святоши – лишь глаза его злорадно сверкали. – Для вашего же блага, понимаете?

– Прочь с дороги! – рявкнул Рон, замахиваясь на Дрюзга. Большая ошибка.

– УЧАЩИЕСЯ В КОРИДОРЕ! – заголосил Дрюзг. – УЧАЩИЕСЯ В КОРИДОРЕ ПРЕВРАЩЕНИЙ!

Поднырнув под Дрюзга, они со всех ног помчались до самого конца коридора, но врезались в дверь – та оказалась закрыта.

– Ну всё! – простонал Рон, пока они беспомощно в нее рвались. – Нас сцапают! Нам конец.

Издалека слышался топот: Филч спешил на призывы Дрюзга.

– Ой, да отойди ты, – сказала Гермиона, выхватила у Гарри волшебную палочку, постучала по замку и шепнула: – Алохомора!

Замок щелкнул, дверь распахнулась – и все, толкаясь, протиснулись внутрь, быстро захлопнули за собой дверь и прижались к ней ушами.

– Куда они побежали, Дрюзг? – допрашивал Филч. – Говори, быстро!

– Скажите «пожалуйста».

– Не дури, Дрюзг, – *куда они пошли?*

– Скажу чего-нибудь, когда услышу «пожалуйста», – нараспев пронудил Дрюзг.

– Ладно – *пожалуйста.*

– ЧЕГО-НИБУДЬ! Ха-хааа! Я же говорил, скажу «чего-нибудь», если услышу «пожалуйста»! Ха-ха-ха! Хааааа! – Дрюзг со свистом унесся, а Филч яростно ругался ему вслед.

– Он думает, эта дверь заперта, – прошептал Гарри. – Может, и не попадемся... *Отстань*, Невилл! – Невилл теребил Гарри за рукав халата. – *Ну что?*

Гарри повернулся и ясно понял *что.* На миг ему почудилось, что он в страшном сне; это просто чересчур, даже если учесть все, что уже случилось.

Они попали отнюдь не в класс, как он предполагал, а в коридор. В Запретный коридор на третьем этаже. И теперь стало очевидно, почему он запретный.

Они смотрели в глаза чудовищному псу – громадине от пола до потолка. И у пса было три головы. Три пары вытаращенных, бешеных глаз, три пары раздувшихся ноздрей, три разинутых пасти, и с пожелтевших клыков скользкими веревками свисали слюни.

Пес не двигался, воззрившись на них всеми шестью глазами, но Гарри понимал, что живы они до сих пор лишь потому, что застали чудище врасплох. Оно меж тем быстро приходило в себя – ясно ведь, что означают эти громовые раскаты, доносящиеся из его утробы.

Гарри нащупал дверную ручку – между Филчем и смертью он выбирал первое.

Они как стояли, так и выпали спинами в дверной проем, Гарри захлопнул дверь, и они понеслись, чуть не полетели назад по коридору. Филч, должно быть, решил поискать их где-то еще, им он не встретился, да и не важно; всем хотелось одного – оказаться как можно дальше от жуткой собаки. Они бежали не останавливаясь до самого портрета Толстой Тети на седьмом этаже.

– Где это вас носило? – спросила та, подозрительно оглядывая распахнутые халаты и красные потные лица.

– Не важно, не важно – «поросячий пятачок», «поросячий пятачок», – прохрипел Гарри, и портрет качнулся. Они вскарабкались в общую гостиную и дрожа рухнули в кресла.

Заговорили не сразу. Невилл, казалось, потерял дар речи навеки.

– Что они себе думают – держат в школе такое страшилище? – в конце концов выговорил Рон. – Собачку не грех прогулять, пускай жир растрясает.

Гермиона отдышалась, и к ней вернулась сварливость.

– Вы что, все слепые, да? – раздраженно спросила она. – Не видели, на чем она стояла?

– На полу? – предположил Гарри. – Я ей под ноги не смотрел – за бошками уследить бы.

– Да вот не на полу. На крышке люка. Очевидно, что-то охраняла. – Гермиона встала, сверкая глазами. – Вы, надо полагать, жутко довольны собой. Нас всех могли убить – или, хуже того, исключить. А теперь, если не возражаете, я иду спать.

Рон посмотрел ей вслед, разинув рот.

– Не возражаем, – пробормотал он. – Можно подумать, мы ее силой за собой потащили.

Однако слова Гермионы заставили Гарри задуматься. Укладываясь в постель, он размышлял: пес что-то охраняет... Как там говорил Огрид? Ежели чего прятать, «Гринготтс» – самое надежное место на земле... ну и, может, еще «Хогварц»...

Похоже, мятый сверток из ячейки номер семьсот тринадцать нашелся.

Глава десятая

Хэллоуин

Наутро Малфой не поверил собственным глазам: мало того что Рон и Гарри по-прежнему в школе – они вполне довольны жизнью, хоть и не слишком бодры. Наутро они сочли встречу с трехглавым чудищем отличным приключением и были не против еще пары таких же. Гарри изложил Рону свои соображения относительно загадочного свертка, очевидно переправленного из «Гринготтса» в «Хогварц», и друзья долго размышляли, что же требует такой охраны.

– Оно или очень ценное, или очень опасное, – сказал Рон.

– Или и то и другое, – добавил Гарри.

Но о загадочном предмете они достоверно знали только, что он дюйма два в длину; что это такое, без подсказок не угадать.

Ни Гермиона, ни Невилл не выказали интереса к тому, что таится под псом и люком. Невилл мечтал об одном: никогда больше не приближаться к чудовищу.

Гермиона не желала разговаривать с Роном и Гарри – но она была такая всезнайка и задавака, что они только радовались. Им лишь хотелось отомстить Малфою, и, на их счастье, способ нашелся – прибыл по почте примерно неделю спустя.

Утром совы, по обыкновению, заполонили Большой зал, и все тотчас заметили длинный тонкий сверток, который несли сразу шесть больших сипух. Гарри, как и остальные, очень заинтересовался, гадал, что внутри, – и вытаращился, когда совы уронили посылку перед ним, заодно свалив на пол его бекон. Не успели они отбыть, еще одна сова бросила поверх коробки письмо.

Гарри разорвал конверт – и правильно сделал, потому что там говорилось:

НЕ ВСКРЫВАЙТЕ ПОСЫЛКУ ЗА СТОЛОМ.

В ней – ваш новый «Нимбус-2000», однако нежелательно, чтобы все узнали о том, что у вас теперь есть метла, иначе они тоже захотят. Оливер Древ будет ждать вас сегодня в семь часов на квидишном поле на первую тренировку.

Минерва Макгонагалл

Профессор М. Макгонагалл

Гарри, с трудом сдерживая восторг, протянул письмо Рону.

– «Нимбус-2000»! – с завистью простонал Рон. – Я его ни разу даже не *трогал!*

Они поскорее вышли из зала, чтобы успеть в уединении распаковать посылку до первого урока, но в вестибюле путь им преградили Краббе и Гойл. Малфой выхватил у Гарри сверток и ощупал его.

– Это метла, – объявил он с завистью и злостью, пихнув коробку в руки Гарри. – Это тебе даром не пройдет, Поттер, первоклассникам метлы запрещены.

Рон не удержался:

– Заметь, не какое-нибудь старье, а «Нимбус-2000». Что, ты говорил, у тебя дома? «Комета-260»? – Рон ухмыльнулся Гарри. – С виду они, конечно, ничего, но... Не тот класс. Не тот.

– Что б ты понимал, Уизли, ты себе и полручки от «Кометы» позволить не можешь, – парировал Малфой. – Небось вы с братьями метлы по хворостинке в лесу собираете?

Рон не успел ответить: из-под локтя Малфоя вынырнул профессор Флитвик.

– Надеюсь, вы не ссоритесь, детки? – пропищал он.

– Поттеру прислали метлу, профессор, – спешно наябедничал Малфой.

– Знаю, знаю, – отозвался профессор Флитвик, широко улыбнувшись Гарри. – Профессор Макгонаголл рассказала о ваших особых обстоятельствах, Поттер. И какая же марка?

– «Нимбус-2000», сэр, – ответил Гарри, с трудом сдерживая смех – таким неприкрытым ужасом перекосило лицо Малфоя. – И главное, если б не Малфой, мне бы в жизни ее не видать, – добавил он.

И Гарри с Роном, фыркая, отправились наверх, – Малфой, хоть ничего и не понял, явно разрывался от возмущения.

– Ну это ведь правда, – хмыкнул Гарри, когда они поднялись по мраморной лестнице. – Если б он не стащил у Невилла Вспомнивсёль, меня бы не приняли в команду...

– И ты считаешь, это награда за нарушение правил? – раздался сзади сердитый голос. Гермиона, гневно чеканя шаг, топала вверх по лестнице и неодобрительно глядела на сверток.

– Ты же с нами не разговариваешь, – напомнил Гарри.

– Вот и не начинай, – посоветовал Рон, – нам это полезно.

Гермиона проплыла мимо, высоко задрав нос.

В тот день Гарри едва мог сосредоточиться на занятиях. Мысли улетали то в спальню, где под кроватью ждала новая метла, то на квидишное поле, на первую тренировку. Вечером он проглотил ужин, даже не заметив, что съел, и вместе с Роном помчался наверх, чтобы наконец-то распаковать метлу.

– Ух ты, – выдохнул Рон, когда она выкатилась на покрывало.

Даже Гарри, который ничего не смыслил в марках метел, сразу понял, насколько его метла великолепна: гладкая, блестящая, с рукоятью красного дерева и длинным хвостом, хворостинка к хворостинке. Сверху на ручке значилось «Нимбус-2000».

Около семи Гарри вышел из замка и в сумерках отправился на квидишное поле. Прежде он ни разу не заходил на стадион. Сотни скамей на трибунах располагались высоко, чтобы зрители видели, что творится в воздухе. С обеих сторон поля стояло по три золотых шеста с петлями. Похожи на пластмассовые палочки, в которые дети муглов выдувают мыльные пузыри, – разве что эти пятидесяти футов в высоту.

Гарри хотелось полетать, и он не стал дожидаться Древа – оседлал метлу и оттолкнулся от земли. Вот это кайф! Он полетал через кольца на шестах, пронесся туда-сюда над полем. «Нимбус-2000» слушался легчайшего прикосновения.

– Эй, Поттер, спускайся!

На поле уже стоял Оливер Древ. Под мышкой он держал большой деревянный ящик. Гарри приземлился рядом.

– Здорово, – сказал Древ, и глаза его сияли. – Макгонаголл права... Ты и впрямь игрок от природы. Сегодня научу тебя правилам, дальше будешь тренироваться с командой три раза в неделю.

Он открыл ящик. Там лежали четыре мяча разных размеров.

– Значит, так, – начал Древ. – Правила в квидише простые, хотя играть в него, может, и нелегко. Есть две команды, в каждой по семь игроков. Трое называются Охотники.

– Три Охотника, – повторил Гарри, а Древ вытащил из корзины ярко-красный мяч размером с футбольный.

– Это Кваффл, – объяснил Древ. – Охотники бросают его друг другу и стараются забить гол в какое-нибудь кольцо, что дает десять очков. Пока все ясно?

– Охотники бросают Кваффл в кольцо, зарабатывают десять очков, – повторил

Гарри. – То есть это вроде баскетбола на метлах и с шестью кольцами?

– А что это – баскетбол? – полюбопытствовал Древ.

– Не важно, – поспешно сказал Гарри.

– Дальше. В каждой команде есть игрок, который называется Охранник, – я вот Охранник «Гриффиндора». Я летаю вокруг своих колец и не даю другой команде забить мяч.

– Три Охотника, один Охранник, – повторял Гарри, настроившийся уяснить все сразу. – И они играют Кваффлом. Запомнил. А эти для чего? – Он показал на три оставшихся мяча.

– Сейчас покажу, – сказал Древ. – Возьми вот.

Он вручил Гарри короткую биту, похожую на бейсбольную.

– Вот что делают Нападалы... Эти два мяча называются Нападалы.

Он показал на два одинаковых угольно-черных мяча чуть меньше красного Кваффла. Они, кажется, пытались вырваться из ячеек, где их удерживали ремешки.

– Отойди в сторонку, – предупредил Древ, нагнулся и высвободил одного Нападалу.

Черный мяч взметнулся ввысь, затем бросился Гарри прямо в лицо. Гарри ударил по нему битой, защищая нос, и мяч зигзагами снова взмыл в небо – пронесся у них над головами и ринулся на Древа, а тот бросился на мяч и прижал его к земле животом.

– Видишь? – пропыхтел Древ, с трудом подавив сопротивление, запихнул Нападалу в корзину и надежно его там пристегнул. – Нападалы носятся и пытаются сбить игроков с метел. Поэтому в каждой команде есть два Отбивалы – у нас это двойняшки Уизли, их задача – уберечь от Нападал свою команду и отогнать их к команде соперника. Ну что, все понятно?

– Три Охотника стараются забить гол Кваффлом; Охранник защищает кольца; Отбивалы стараются держать Нападал подальше от своей команды, – отчитался Гарри.

– Отлично, – похвалил Древ.

– А... Нападалы хоть раз кого-нибудь убивали? – спросил Гарри, очень надеясь, что не выдал своего страха.

– В «Хогварце» – никогда. Челюсти пару раз ломали, но хуже ничего не бывало. Так, дальше. Седьмой игрок в команде – Ловчий. Это ты. Твоя забота – не Кваффл и не Нападалы...

– ...если только они мне голову не проломят.

– Не бойся, двойняшки Уизли с Нападалами друг друга стоят – неизвестно еще, кто страшней.

Древ достал из ящика последний мяч. По сравнению с Кваффлом и Нападалами он был крохотный, не больше крупного грецкого ореха, сверкал золотом и трепетал двумя серебряными крылышками.

– *Это*, – сказал Древ, – Золотой Проныра. Самый важный мяч. Его очень трудно поймать, потому что он быстро летает и его нелегко разглядеть. Задача Ловчего – найти его и схватить. Шныряешь между Охотниками, Отбивалами, Нападалами и Кваффлом и стараешься изловить Проныру раньше Ловчего из другой команды. Как только поймаешь, твоя команда получает еще сто пятьдесят очков и почти наверняка выигрывает. Поэтому Ловчим вечно строят разные козни. Игра в квидиш заканчивается, только если пойман Проныра, поэтому играть можно до бесконечности – по-моему, рекорд был три месяца: игроков приходилось менять, чтоб они поспали. Вот и все. Вопросы есть?

Гарри покачал головой. Он уже понял, что нужно делать, оставалось только понять как.

– С Пронырой мы пока тренироваться не будем. – Древ аккуратно пристегнул мячик в ящике. – Слишком темно, можно потерять. Давай попробуем вот с этими.

Он достал из-под плаща мешок с обыкновенными мячами для гольфа, и через несколько минут они с Гарри уже были в воздухе. Древ со всей силы швырял мячи как можно дальше куда попало, а Гарри их ловил.

Он не пропустил ни одного, и Древ был в восторге. Через полчаса стемнело совсем и тренировку свернули.

– В этом году на квидишном кубке выгравируют наше имя, – говорил довольный Древ, когда они возвращались к замку. – Не удивлюсь, если ты окажешься лучше самого Чарли Уизли – а он играл бы за сборную Англии, если б не уехал гонять драконов.

Гарри был так занят – тренировки три раза в неделю вдобавок к домашним заданиям, – что даже не заметил, как с поступления в «Хогварц» прошло два месяца. Замок стал ему домом куда роднее, чем жилище

Дурслеев на Бирючинной улице. И теперь, когда он чему-то научился, уроки становились все интересней.

Проснувшись утром в Хэллоуин, все почуяли из коридоров вкусный запах печеной тыквы. Что еще приятнее – в тот же день профессор Флитвик объявил, что класс готов учиться поднимать предметы в воздух, а этого все нетерпеливо ждали с той минуты, когда по мановению руки Флитвика жаба Невилла описала круг под потолком. Класс разделили на пары. Гарри достался Шеймас Финниган (большая удача; пока распределяли, взгляд Гарри все пытался поймать Невилл). Рону меж тем выпало работать с Гермионой Грейнджер – и трудно сказать, кто из них вознегодовал больше. С тех пор как Гарри прислали метлу, Гермиона так с ними и не разговаривала.

– Не забудьте, запястье поворачиваем изящно, помните, мы репетировали? – пропищал профессор Флитвик со своей книжной стопки. – Взмахнуть и стегнуть, запомнили? Взмахнуть и стегнуть. И очень важно четко произносить волшебные слова – не забывайте о колдуне Баруффьо, который сказал «в» вместо «н» и оказался с коровой на голове.

Было трудно. Гарри с Шеймасом махали и стегали, но перышко не желало взлетать в небо и валялось себе на столе. Шеймас от нетерпения ткнул в него волшебной палочкой и случайно поджег; Гарри пришлось тушить пожар собственной шляпой.

Рон за соседним столом тоже не добился особых успехов.

– *Вингардиум Левиоза!* – отчаянно вопил он, как мельница размахивая длинными руками.

– Ты неправильно произносишь, – отчитала его Гермиона. – Надо говорить «Вин*гар*-диум Леви-*о*-за». «Гар» длинное и раскатистое.

– Раз такая умная, сама и говори, – обозлился Рон.

Гермиона засучила длинные рукава, взмахнула палочкой и сказала:

– *Вингардиум Левиоза!*

Перышко поднялось над столом и затрепетало футах в четырех над головами.

– Великолепно! – обрадовался профессор Флитвик и захлопал в ладоши. – Все посмотрели на мисс Грейнджер: у нее получилось!

К концу урока Рон был в прескверном настроении.

– Неудивительно, что все ее терпеть не могут, – сказал он Гарри, когда они вдвоем проталкивались по людному коридору. – Не девочка, а кошмар какой-то, честное слово.

Кто-то слегка толкнул Гарри, проходя мимо. Гермиона. И Гарри заметил, что она вся в слезах.

– Кажется, она тебя слышала.

– Ну и что? – бросил Рон, но слегка смутился. – Наверняка же сама заметила, что у нее нет друзей.

Гермиона не пришла на следующий урок и до вечера не появлялась. По пути в Большой зал на праздничный ужин Рон и Гарри услышали, как Парвати Патил рассказывала своей подружке Лаванде, что Гермиона плачет в туалете и просит оставить ее в покое. Рон смутился еще больше, но они уже входили в зал, и праздничное убранство как-то вытеснило Гермиону у них из головы.

Тысячи живых летучих мышей хлопали крыльями под потолком и по стенам, а еще тысячи низкими черными тучами трепетали над столами, и пламя свечей в тыквах мигало. Сказочные яства появились на золотых тарелках неожиданно – как на первом пиру два месяца назад.

Гарри клал себе на тарелку печеную картошку, когда в зал ворвался профессор Страунс с перекошенным от ужаса лицом и в тюрбане набекрень. Все оторопело смотрели, как он подбежал к профессору Думбльдору, обессиленно привалился к столу и выдавил:

– Тролль… в подземелье… я подумал, надо вам сказать. – И сполз на пол, лишившись чувств.

Все загалдели. Чтобы добиться тишины, профессору Думбльдору пришлось волшебной палочкой выпустить несколько пунцовых шутих.

– Старосты! – прогремел он. – Разведите учащихся ваших колледжей по спальням! Немедленно!

Перси оказался в своей стихии.

– За мной! Первоклашки, держимся вместе! Слушаемся старосту, и никакой тролль нам не страшен! Так, все за мной, и не отставайте! Эй, пропустите первоклассников! Пропустите, я староста!

– Как тролль пробрался в школу? – спросил Гарри на лестнице.

– Откуда я знаю? Вообще-то они вроде бы жутко тупые. Может, Дрюзг впустил ради праздничка?

Мимо туда-сюда бегали стайки школьников. Проталкиваясь сквозь группку растерянных хуффльпуффцев, Гарри вдруг схватил Рона за руку:

– Слушай, до меня только дошло – Гермиона.

– Что Гермиона?

– Она же не знает про тролля.

Рон прикусил губу.

– Эх, была не была! – решился он. – Главное, чтоб Перси не заметил.

Пригнувшись, они вместе с хуффльпуффцами заспешили в другую сторону, скользнули в пустой боковой коридор и помчались к туалету для девочек. Едва завернув за угол, они услышали за спиной торопливые шаги.

– Перси! – прошипел Рон, затаскивая Гарри за массивного каменного грифона.

Однако, осторожно выглянув, увидели они вовсе не Перси, а Злея. Профессор миновал коридор и скрылся.

– Что он тут делает? – удивился Гарри. – Почему не в подземелье с учителями?

– Спроси что-нибудь полегче.

Как можно тише они крадучись двинулись по коридору за Злеем, чьи шаги затихали вдали.

– Он идет на третий этаж, – сказал Гарри, но тут Рон поднял руку:

– Чуешь?

Гарри вдохнул мерзкую вонь: букет из грязных носков и давным-давно не мытого общественного туалета.

Раздался низкий рык, и тяжко зашаркали гигантские ноги. Рон ткнул пальцем – слева, из дальнего конца коридора, надвигалось нечто невероятное. Они вжались в стену и в ужасе смотрели, как оно входит в пятно лунного света.

Зрелище было жуткое. Тролль – двенадцати футов ростом, с тусклой гранитно-серой кожей, туша напоминает огромный изрытый валун, увенчанный плешивым кокосом. У тролля были короткие ноги, толстые, как древесные стволы, и плоские мозолистые ступни. Смердело от него невообразимо. Ужасно длинной рукой он волок за собой огромную деревянную дубину.

Тролль остановился у дверного проема и заглянул. Повел длинными ушами, явно напрягая крошечный мозг, и медленно ввалился в комнату.

– Ключ в замке, – пробормотал Гарри. – Можно его запереть.

– Хорошая мысль, – нервно одобрил Рон.

С пересохшими от страха ртами они прокрались к открытой двери; только бы тролль не вздумал сейчас выйти. Затем Гарри прыгнул, захлопнул дверь и запер.

– *Есть!*

Ликуя, они бросились по коридору, но, еще не добежав до угла, услышали такое, от чего у них чуть не остановились сердца: пронзительный вопль ужаса. И доносился он из комнаты, которую они только что заперли.

– Ой нет! – выдохнул Рон, побледнев как Кровавый Барон.

– Это же туалет! – сообразил Гарри.

– *Гермиона!* – крикнули они в один голос.

Меньше всего на свете им хотелось возвращаться, но что поделаешь? Круто развернувшись, они бросились назад и трясущимися руками повернули ключ в замке. Гарри распахнул дверь, и они вбежали в туалет.

Гермиона Грейнджер почти в обмороке вжималась в стенку. А на нее, сшибая по пути умывальники, надвигался тролль.

– Надо его отвлечь! – отчаянно крикнул Гарри и изо всех сил швырнул в стенку снесенный кран.

Тролль замер в нескольких шагах от Гермионы. Неуклюже повернулся, тупо моргая, недоумевая, откуда раздался шум.

Наконец его злобные глазки остановились на Гарри. Тролль задумался и двинулся на мальчика, на ходу поднимая дубину.

– Эй, урод! – заорал Рон из другого угла и метнул в тролля куском железной трубы. Тот, похоже, и не почувствовал удара в плечо, но услышал крик и снова задумался. После чего повернул отвратительную морду к Рону – и Гарри сумел обогнуть тролля с тыла.

– Да беги же отсюда, беги! – крикнул он Гермионе и потащил ее к двери, но девочка не могла и с места двинуться – она липла к стене, в ужасе открыв рот.

От криков, эхом метавшихся по туалету, тролль совсем обезумел. Он заревел и бросился на Рона – тот оказался ближе всех, и ему некуда было деться.

И тогда Гарри совершил поступок очень смелый и очень глупый: разбежался, подпрыгнул и повис у тролля на шее. Тролль не почувствовал Гарри у себя на загривке, но даже тролль почувствует, если ему в ноздрю вогнать длинную деревяшку. Гарри прыгнул, не выпуская из рук волшебной палочки, и она угодила чудовищу в нос.

Взвыв от боли, тролль изогнулся и замахал дубиной, а Гарри цеплялся изо всех сил; в любую секунду тролль достанет его лапой или дубиной прибьет.

Гермиона от страха сползла на пол; Рон же выхватил волшебную палочку и, сам не понимая зачем, выкрикнул первое заклинание, что пришло в голову:

– *Вингардиум Левиоза!*

Дубина вырвалась у тролля из лапы, взлетела, медленно перевернулась и с отвратительным треском обрушилась на голову хозяину. Тролль пошатнулся и грохнулся мордой вниз. От удара содрогнулись стены.

Гарри поднялся на ноги. Его трясло, и воздуха не хватало. Рон стоял как был, подняв волшебную палочку, и остолбенело смотрел на дело рук своих.

Гермиона заговорила первой:

– Он что – сдох?

– Вряд ли, – ответил Гарри. – По-моему, он в отключке.

Он наклонился и вытянул свою палочку из ноздри тролля. Палочка вся была в каком-то комковатом сером клейстере.

– Фу... тролльские сопли. – Он вытер палочку о штаны тролля.

Вдруг захлопали двери и громко застучали шаги. Троица обернулась к двери. Они не замечали, сколько наделали шуму, но, само собой, внизу услышали и грохот, и рев тролля. Спустя мгновение в туалет ворвалась профессор Макгонаголл, за ней по пятам влетел Злей, а замыкал процессию Страунс. Он краем глаза глянул на тролля, слабо хныкнул и осел на унитаз, схватившись за сердце.

Злей склонился над троллем. Профессор Макгонаголл смотрела на Гарри и Рона. Гарри еще ни разу не видел, чтоб она так сердилась. У нее даже губы побелели. Надежда выиграть пятьдесят баллов для «Гриффиндора» тут же угасла.

– Вы что себе думали, а? – спросила профессор Макгонаголл с холодной яростью. Гарри посмотрел на Рона: тот застыл, не опуская волшебную палочку. – Счастье, что он вас не убил. Почему вы не в спальнях?

Злей пронзил Гарри взглядом. Гарри уставился в пол. Хорошо бы Рон догадался убрать палочку.

Тут из полумрака раздался слабый голос:

– Пожалуйста, профессор Макгонаголл, простите их, они искали меня.

– Мисс Грейнджер!

Гермионе удалось наконец встать.

– Я пошла искать тролля... потому что... хотела сама с ним справиться... Понимаете, я же про них читала...

Рон выронил палочку. Чтобы Гермиона Грейнджер так откровенно врала учителю?

– Если бы они меня не нашли, я бы погибла. Гарри сунул палочку троллю в нос, а Рон его оглушил его же дубиной. У них не было времени бежать за помощью. Когда они вошли, тролль уже собрался меня прикончить.

Гарри и Рон старались делать вид, что все это для них отнюдь не новость.

– Что ж... в таком случае... – Профессор Макгонаголл внимательно оглядела всех троих. – Мисс Грейнджер, глупая вы девчонка, как же вам в голову пришло в одиночку сражаться с горным троллем?

Гермиона потупилась. Гарри прямо-таки потерял дар речи. Гермиона, кто никогда не нарушает правила, делает вид, будто их нарушила, – и все ради их спасения? Этак скоро Злей начнет раздавать конфеты.

– Мисс Грейнджер, за это у «Гриффиндора» будут вычтены пять баллов, – сказала профессор Макгонаголл. – Я очень в вас разочарована. Если вы не пострадали, отправляйтесь в гриффиндорскую башню. Ученики доедают праздничный ужин в своих гостиных.

Гермиона ушла.

Профессор Макгонаголл повернулась к Гарри и Рону:

– Я по-прежнему считаю, что вам просто повезло, однако немногие первоклассники сумели бы противостоять взрослому горному троллю. Каждый из вас заработал для «Гриффиндора» по пять баллов. Я сообщу об этом профессору Думбльдору. Можете идти.

Мальчики поспешно выскочили из туалета и не проронили ни слова, пока не оказались двумя этажами выше. Помимо всего прочего они были счастливы избавиться наконец от тролльской вони.

– Мы заслужили побольше десяти баллов, – проворчал Рон.

– В смысле – пяти? Гермиону-то наказали.

– А она молодец, выручила нас, – признал Рон. – Правда, мы ведь ей *жизнь* спасли.

– Может, ее бы и спасать не понадобилось, если б мы не заперли ее с троллем, – напомнил Гарри.

У портрета Толстой Тети они сказали:

– «Поросячий пятачок», – и влезли сквозь дыру в гостиную.

Там было шумно и полно народу. Все уплетали присланную наверх еду. Одна лишь Гермиона одиноко стояла у дверей и дожидалась их возвращения. Повисла неловкая пауза. Не глядя друг на друга, все трое невнятно буркнули:

– Спасибо, – и разошлись за тарелками.

И все же с того дня Гермиона Грейнджер стала им другом. Бывают на свете испытания, которые сближают, – и победа над двенадцатифутовым троллем из их числа.

Глава одиннадцатая

Квидиш

Настал ноябрь, и ударили заморозки. Горы вокруг школы льдисто посерели, воды озера цветом напоминали сталь. По утрам земля покрывалась инеем. Из окон верхних этажей было видно, как на квидишном поле Огрид в плаще из чертовой кожи, кроличьих варежках и громадных бобровых унтах размораживает метлы.

Открылся квидишный сезон. В субботу Гарри, после долгих тренировок, предстояло участвовать в первом матче – «Гриффиндор» против «Слизерина». Выиграв, гриффиндорцы перешли бы на второе место в борьбе за кубок школы.

Никто еще не видел Гарри в игре – Древ решил, что секретное оружие следует хранить... ну, в секрете. Однако слухи о том, что Гарри – новый Ловчий гриффиндорцев, все же как-то просочились, и Гарри не знал, кто хуже – доброжелатели, уверявшие, что все будет прекрасно, или остряки, обещавшие для подстраховки бегать внизу с матрацами.

Дружба с Гермионой пришлась как нельзя кстати. Без нее Гарри попросту не справился бы с многочисленными домашними заданиями – Древ то и дело назначал дополнительные тренировки. Кроме того, Гермиона дала ему почитать «Квидиш сквозь века», книжку весьма, как выяснилось, увлекательную.

Гарри узнал, что в квидише правила можно нарушить семьюстами разными способами, и все они были отмечены на мировом чемпионате в 1473 году; что Ловчие обычно – самые маленькие и быстрые игроки и, похоже, сильнее всех калечатся; что на матчах игроки погибали редко, зато судьи, бывало, исчезали невесть куда и обнаруживались много месяцев спустя в пустыне Сахара.

После спасения от горного тролля Гермиона перестала фанатично соблюдать школьные правила и сделалась куда приятнее. Накануне первой игры они втроем мерзли во дворе на перемене, и Гермиона сотворила ярко-синий огонь, который можно было носить с собой в банке из-под джема. Они стояли спинами к банке и грелись. Мимо проходил Злей. Гарри сразу заметил, что он прихрамывает. Троица сгрудилась, чтобы загородить огонь: наверняка это запрещено. К несчастью, их виноватый вид привлек внимание Злея, и он подковылял ближе. Огня не заметил, но все равно явно искал повод придраться.

– Что это у вас там, Поттер?

Гарри показал ему «Квидиш сквозь века».

– Библиотечные книги не разрешается выносить из здания школы, – объявил Злей. – Давайте сюда. Минус пять баллов с «Гриффиндора».

– Он это правило выдумал только что, – сердито проворчал Гарри, когда Злей захромал прочь. – Интересно, что у него с ногой?

– Понятия не имею, но надеюсь, что болит сильно, – едко ответил Рон.

В тот вечер в гриффиндорской гостиной было шумно. Гарри, Рон и Гермиона сидели у окна. Гермиона проверяла у мальчиков домашние задания по чарам. Она никогда не давала списывать («Как же вы научитесь?»), но они нашли к ней подход: просили проверить и все равно узнавали правильные ответы.

Гарри было неспокойно. Вот бы вернуть «Квидиш сквозь века», отвлечься от мыслей о завтрашнем матче... А вообще, с чего ему бояться Злея? Гарри встал и сказал, что пойдет и попросит книгу обратно.

– Флаг в руки, – в один голос заявили Рон и Гермиона. А Гарри подумал, что Злей вряд ли откажет в присутствии других учителей.

Он добрел до учительской и постучал. Ему не ответили. Он снова постучал. Тишина.

Может, Злей оставил книгу там? Надо посмотреть. Гарри приоткрыл дверь, заглянул – и глазам его предстала жуткая сцена.

В учительской были двое – Злей и Филч. Злей приподнимал мантию чуть выше колен. Одна нога у него была изгрызена и вся в крови. Филч протягивал Злею чистые бинты.

– Гнусная тварь, – говорил Злей. – Как, скажите на милость, уследить за тремя головами одновременно?

Гарри хотел было тихонько притворить дверь, но...

– ПОТТЕР!

Перекосившись от ярости, Злей уронил полы мантии. Гарри судорожно сглотнул.

– Я только хотел... нельзя ли... назад книжку...

– УБИРАЙСЯ! *ВОН!*

Гарри удрал, пока Злей не вычел у «Гриффиндора» еще баллы. Он пулей взлетел наверх.

– Ну как, получилось? – спросил Рон, когда запыхавшийся Гарри рухнул в кресло. – Что с тобой?

Тихим шепотом Гарри рассказал Рону с Гермионой, что видел.

– Понимаете? – задыхаясь, договорил он. – В Хэллоуин Злей пытался пройти мимо трехглавого пса! Вот куда он шел, когда мы его видели, – он хочет украсть то, что охраняет пес! Спорю на свою метлу: это *он* впустил тролля, чтобы всех отвлечь!

Глаза Гермионы распахнулись.

– Нет, это вряд ли, – возразила она. – Он, конечно, не самый приятный в мире человек, но он не стал бы красть у Думбльдора.

– Ну честное слово, Гермиона, у тебя что ни учитель, то святой, – рассердился Рон. – Я согласен с Гарри. Со Злея станется. Но что ему нужно? Что же такое охраняет наша собачка?

Гарри лег спать, но в голове его вертелся тот же вопрос. Невилл громко храпел, а вот Гарри заснуть не мог. Он старался ни о чем не думать – нужно выспаться, через несколько часов его первый в жизни матч, – но лицо Злея, осознавшего, что Гарри увидел его рану, не так-то просто было забыть.

Утро настало яркое и холодное. Большой зал полнился соблазнительным ароматом жареных сарделек и веселой болтовней школьников, предвкушавших интересное зрелище.

– Тебе надо поесть.

– Не хочу.

– Съешь хоть бутерброд, – приставала Гермиона.

– Не могу.

Гарри было ужасно: через час предстояло выйти на поле.

– Гарри, нужны силы, – сказал Шеймас Финниган. – А то Ловчих вечно все лупят.

– Спасибо за заботу, Шеймас, – сказал Гарри, наблюдая, как тот поливает сардельку кетчупом.

К одиннадцати часам школа собралась на трибунах. Многие прихватили бинокли. Трибуны, конечно, высокие, но иногда за игрой нелегко уследить.

Рон с Гермионой сели в верхнем ряду вместе с Невиллом, Шеймасом и Дином – фанатом «Уэст-Хэма». Втайне от Гарри они из простыни, испорченной Струпиком, соорудили плакат: «Поттера в президенты!» Внизу Дин изобразил гриффиндорского льва – Дин вообще хорошо рисовал. А Гермиона слегка поколдовала, и теперь надпись переливалась разными цветами.

Тем временем Гарри вместе с командой переодевался в квидишную форму – мантию малинового цвета (слизеринцы играли в зеленом).

Древ откашлялся, призывая к вниманию.

– Итак, господа... – начал он.

– И дамы, – перебила Охотница Ангелина Джонсон.

– И дамы, – согласился Древ. – Час настал.

– Великий час, – сказал Фред Уизли.

– Которого мы все так ждали, – сказал Джордж.

– Мы знаем речь Оливера наизусть, – пояснил Фред для Гарри, – мы в команде с прошлого года.

– Тихо, вы! – прикрикнул Древ. – В этом году команда у нас – супер! Уже много лет такого не бывало. И мы выиграем. Я точно знаю. – Он сверкнул глазами, словно намекая: «А не то смотрите у меня!..» – Ну, всё. Время. Желаю удачи. Пошли!

Гарри покинул раздевалку вслед за Фредом и Джорджем и, очень надеясь, что коленки не подогнутся, вышел на поле под громкие вопли зрителей.

Матч судила мадам Самогони. С метлой в руке она ждала игроков посреди поля.

– И чтобы все играли честно, – сказала она, когда они подошли. Гарри показалось, что обращалась она главным образом к капитану «Слизерина», пятикласснику Маркусу Флинту, – похоже, среди его предков затесался тролль. Краем глаза Гарри заметил над толпой плакат, трепетавший и мигавший надписью: «Поттера в президенты!» Сердце дрогнуло, и он слегка расхрабрился. – По метлам!

Гарри оседлал «Нимбус-2000».

Мадам Самогони громко дунула в серебряный свисток.

Пятнадцать метел как одна взвились ввысь. Игра началась.

– И Кваффл тут же попадает к Ангелине Джонсон из команды «Гриффиндора» – отличная Охотница и, между прочим, красавица...

– ДЖОРДАН!

– Извините, профессор.

Приятель двойняшек Уизли Ли Джордан комментировал матч под строгим надзором профессора Макгонаголл:

– Она проводит ловкий маневр – отличный пас Алисии Спиннет, ценному приобретению Оливера Древа, прошлый год в резерве... Назад к Джонсон и... Нет, Кваффл переходит к слизеринцам, капитан Маркус Флинт завладел им и устремляется вперед – Маркус летит как горный орел, вот сейчас заб... Но нет, его прекрасным маневром останавливает Охранник «Гриффиндора» Древ – Кваффл переходит к гриффиндорцам... А это Охотница команды «Гриффиндор» Кэти Белл, красивый нырок под Флинта – и снова вверх в игровое поле и... ОЙ!.. Больно, наверное, прямо по затылку Нападалой – Кваффл перехватывают слизеринцы, Адриан Пусей спешит к кольцам, но путь ему блокирует второй Нападала, отбитый Фредом Уизли – или Джорджем, трудно сказать... не важно, прекрасную игру показал Отбивала «Гриффиндора»... Кваффл снова у Джонсон, перед ней никого – она рвется к кольцам – вот это полет! – увертывается от Нападалы – она уже у колец – давай же, давай, Ангелина! Охранник Блетчли ныряет – промахивается – И «ГРИФФИНДОР» ЗАБИВАЕТ ГОЛ!!!

В морозном воздухе с трибун неслись ликующие крики болельщиков «Гриффиндора» и стоны и вой болельщиков «Слизерина».

– Давайте-ка, сдвиньте тушки.

– Огрид!

Рон и Гермиона потеснее прижались друг к другу, чтобы великан втиснулся рядом.

– Глядел из хижины, – поведал Огрид, похлопывая по гигантскому биноклю на шее. – Да с народом-то оно веселей, верно? Проныра покамест не объявлялся?

– Не-а, – ответил Рон. – Гарри пока особо заняться нечем.

– Ну и не беда, ну и не к спеху, цел – и хорошо, – приговаривал Огрид, в бинокль выискивая в небе крохотного Гарри.

Гарри скользил высоко над игровым полем и выглядывал Проныру. Таков был их с Древом план.

– Держись поодаль, пока не увидишь Проныру, – велел Древ. – Незачем раньше времени зазря подставляться.

Когда Ангелина забила гол, Гарри от избытка чувств проделал пару мертвых петель, потом вновь занялся делом. Один раз он заметил золотой отблеск, но то бликовали часы близнеца Уизли. В другой раз прямо на Гарри пушечным ядром понесся Нападала. Гарри увернулся, и мимо вслед за Нападалой промчался Фред.

– Порядок, Гарри! – успел проорать он, яростно отбивая Нападалу в сторону Маркуса Флинта.

– «Слизерин» ведет Кваффл, – тараторил Ли Джордан. – Охотник Пусей, нырнув, уходит сразу от обоих Нападал, обоих Уизли и Охотницы Белл и летит к... Так, секундочку... Это что, Проныра?

По стадиону пробежал ропот: Адриан Пусей упустил Кваффл – зазевался, глянув через плечо на золотую молнию, сверкнувшую над левым ухом.

И Гарри заметил молнию. Задохнувшись от возбуждения, он ринулся на блеск. Ловчий «Слизерина» Теренс Хиггс тоже увидел Проныру. Плечом к плечу бросились они за мячом, а Охотники, обо всем позабыв, зависли в воздухе, наблюдая за погоней.

Гарри оказался быстрее Хиггса – он уже ясно видел крохотный мячик, что метался впереди, трепеща крылышками... Гарри поднажал...

БАМ! С трибун «Гриффиндора» донесся возмущенный рев. Маркус Флинт намеренно преградил Гарри путь, метла Ловчего винтом закрутилась в воздухе, а сам Гарри отчаянно уцепился за древко.

– Фол! – вопили гриффиндорские болельщики.

Мадам Самогони отчитала Флинта и назначила «Гриффиндору» свободный удар. Но в суматохе Золотой Проныра, естественно, скрылся из виду.

Внизу на трибунах надрывался Дин Томас:

– Долой его с поля! Судья, красную карточку!

– О чем ты? – не понял Рон.

– Красную карточку! – не унимался разъяренный Дин. – В футболе за такое дают красную карточку и удаляют с поля!

– Но это же не футбол, – напомнил Рон.

Огрид был на стороне Дина:

– Правила менять пора. Еще чуток, и Гарри бы расшибся.

Ли Джордан тоже не остался беспристрастным:

– Итак, после очевидного и отвратительного мошенничества...

– Джордан! – рыкнула профессор Макгонаголл.

– Я хотел сказать, после откровенного и мерзкого нарушения правил...

– Джордан, предупреждаю...

– Ладно, ладно. После того как Флинт едва не убил Ловчего «Гриффиндора», что, разумеется, со всяким может случиться, назначается свободный удар, который без проблем пробивает Спиннет, а игра меж тем продолжается, и мяч по-прежнему у «Гриффиндора».

Все произошло в тот миг, когда Гарри увернулся от Нападалы, просвистевшего в опасной близости от головы. Неожиданно метла как будто провалилась в воздушную яму. На миг ему показалось, он падает. Обеими руками и коленями Гарри судорожно вцепился в древко. Никогда такого не бывало.

Метла опять нырнула. Словно пыталась сбросить Гарри. Но ведь «Нимбус-2000» – не какой-то необъезженный скакун? Гарри хотел было повернуть к кольцам «Гриффиндора» и попросить Древа объявить тайм-аут, но метла не слушалась совсем. Ни развернуться, ни хоть как-то ею управлять. Она зигзагами носилась в воздухе, время от времени виляя и едва не скидывая Гарри.

Ли продолжал комментировать матч:

– «Слизерин» владеет Квоффлом – Флинт ведет – обходит Спиннет – обходит Белл – получает по морде Нападалой, очень надеюсь, что у него сломан нос, – шутка, профессор, – «Слизерин» забивает гол – ой нет...

Слизеринцы ликовали. Никто, казалось, не замечал, до чего странно ведет себя метла Гарри. Она постепенно уносила его ввысь, прочь от поля, то и дело подпрыгивая и подергиваясь.

– Что это Гарри затеял? – пробормотал Огрид, поглядев в бинокль. – Его как будто метла не слушается... да быть такого не может...

И вдруг все зрители на трибунах стали показывать вверх на Гарри. Его метла бешено завертелась вокруг своей оси – он еле держался. Затем все ахнули – метла резко метнулась вбок, а Гарри сорвался и повис, вцепившись в древко одной рукой.

– Может, Флинт с ней что-нибудь сделал, когда его блокировал? – прошептал Шеймас.

– Не мог, – коротко сказал Огрид, и голос его дрожал. – Метлу только черная магия заморочит – пацану не под силу, тем паче с «Нимбусом-2000».

Гермиона выхватила у Огрида бинокль, однако направила его не на Гарри, а на трибуны и принялась лихорадочно вглядываться в толпу.

– Что ты делаешь? – простонал Рон, от волнения посерев.

– Так и знала, – выдохнула Гермиона. – Злей! Смотри.

Рон схватил бинокль. Злей сидел посреди трибуны напротив. Он не отрываясь смотрел на Гарри и безостановочно бормотал, едва шевеля губами.

– Он колдует – проклинает метлу, – сказала Гермиона.

– Что делать-то?!

– Я сейчас.

И, не успел Рон ответить, Гермиона исчезла. Рон снова навел бинокль на Гарри. Метла ходила ходуном: долго он не продержится. Зрители в ужасе повскакали с мест и смотрели, как двойняшки Уизли пытаются перетащить Гарри на одну из своих метел; у них, впрочем, ничего не получалось: стоило приблизиться, метла Гарри взмывала резким скачком. Тогда близнецы спустились ниже и закружили под Гарри – очевидно, чтобы поймать, если тот упадет. Маркус Флинт завладел Кваффлом и забил пять голов подряд, но никто этого не заметил.

– Ну же, Гермиона, – в отчаянии бормотал Рон.

Расталкивая публику, Гермиона пробралась туда, где сидел Злей, и трусцой побежала по ряду у него за спиной. Она даже не извинилась, толкнув профессора Страунса так, что бедняга ткнулся носом в переднюю скамью. Позади Злея Гермиона присела, вытащила волшебную палочку и прошептала несколько нужных слов. Из палочки вылетел сноп ярко-синего пламени – прямо на подол длинного плаща Злея.

Лишь секунд через тридцать тот заметил, что горит. Он взвизгнул, и Гермиона поняла, что добилась своего. Собрав огонь с профессора в баночку и сунув ее в карман, она помчалась обратно; Злей никогда не догадается, что произошло.

Этого хватило. Гарри сумел оседлать метлу.

– Невилл, можно смотреть, – сказал Рон. Уже пять минут Невилл ревел, уткнувшись в куртку Огрида.

Гарри несся к земле и вдруг судорожно прижал руку ко рту, будто его вот-вот стошнит. Он приземлился на четвереньки, кашлянул, и что-то золотое упало ему в ладонь.

– Я поймал Проныру! – закричал он, размахивая мячиком. Игра закончилась в полнейшей неразберихе.

– Он его не *поймал*, а чуть не *проглотил*, – еще стенал Флинт двадцатью минутами позже, но без толку: Гарри не нарушил ни одного правила, а Ли Джордан радостно выкрикивал результаты: «Гриффиндор» победил со счетом 170:60.

Гарри, впрочем, этого не слышал. Его, а также Рона и Гермиону поили крепким чаем в хижине Огрида.

– Это Злей, – объяснял Рон. – Мы с Гермионой все видели. Он наложил проклятие на твою метлу, бормотал и не сводил с тебя глаз.

– Чепуха, – возразил Огрид, который на стадионе умудрился не заметить того, что происходило у него под носом. – С чего бы Злею этак чудить?

Гарри, Рон и Гермиона переглянулись, взвешивая, посвящать ли Огрида. Гарри решил сказать правду.

– Я кое-что знаю, – объяснил он. – В Хэллоуин Злей хотел пробраться мимо трехглавого пса. Тот его укусил. Нам кажется, Злей хочет украсть то, что пес охраняет.

Огрид выронил чайник.

– Как вы узнали про Пушка?

– *Пушка?*

– Ну да... Это мой пес... Прикупил у одного грека, в пабе познакомились в том году... А сейчас одолжил Думбльдору сторожить...

– Что сторожить? – нетерпеливо спросил Гарри.

– И не спрашивай, – сурово замотал головой Огрид. – Сверхсекретно. Вот оно как.

– Но Злей же хочет это *украсть*.

– Чепуха, – повторил Огрид. – Еще не хватало. Злей тут учитель.

– А зачем тогда он пытался убить Гарри! – воскликнула Гермиона.

Сегодняшнее происшествие явно изменило ее мнение о профессоре Злее.

– Я в состоянии распознать проклятие, Огрид, я про это *читала!* Для проклятия нужно не прерывать зрительный контакт, а Злей даже не моргал, я видела!

– Да говорю вам, чепуха! – разгорячился Огрид. – Знать не знаю, чего там у Гарри стряслось с метлой, только Злей ученика гробить не станет! Вот что, вы... горе-троица... не суйте носы куда не надо! Опасно это! Забудьте про пса и про чего он там сторожит – это все дела профессора Думбльдора и Николя Фламеля...

– Ага! – сказал Гарри. – Значит, тут еще какой-то Николя Фламель замешан?

Кажется, Огрид ужасно на себя разозлился.

Глава двенадцатая

Зеркало Джедан

Близилось Рождество. В середине декабря «Хогварц» проснулся поутру под глубоким пушистым снегом. Озеро замерзло, а близнецов Уизли наказали за то, что заговорили снежки повсюду летать за Страунсом и бить его по тюрбану. С редкими совами, сумевшими одолеть вьюгу и доставить почту, Огриду пришлось изрядно понянчиться, прежде чем они снова встали на крыло.

Народ с нетерпением ждал каникул. В гриффиндорской гостиной и Большом зале жарко пылали камины, зато в коридорах стены покрылись изморозью и ледяной ветер дребезжал стеклами. Невыносимее всего были занятия с профессором Злеем в подземелье: пар вырывался изо рта клубами, и все жались ближе к горячим котлам.

– Как же я сочувствую, – сказал однажды на зельеделии Драко Малфой, – тем, кто останется на каникулы в «Хогварце», потому что дома они никому не нужны...

И он покосился на Гарри. Краббе и Гойл гаденько захихикали. Гарри, отмерявший толченые позвонки скорпены-ерша, не обратил на них внимания. После квидишного матча Малфой сделался попросту невыносим. Возмущенный поражением «Слизерина», он шутил, что в следующий раз Ловчим возьмут не Гарри, а древесную лягушку – у той рот шире. Но в конце концов даже он понял, что никому не смешно – до того все восхищались Гарри: как он удержался на взбесившейся метле! Злясь и завидуя, Малфой успокоиться не мог и вернулся к проверенным издевкам – про сиротство Гарри.

Гарри и правда не собирался домой на Рождество. На минувшей неделе профессор Макгонаголл составляла список тех, кто остается на каникулы в школе, и Гарри записался первым. Он ничуть себя не жалел – напротив, предвкушал лучшее Рождество в жизни. Тем более что Рон с братьями тоже оставались: мистер и миссис Уизли уезжали в Румынию навестить Чарли.

Выходя из подземелья после урока зельеделия, Гарри и Рон обнаружили, что по коридору не пройти – его перегораживала огромная елка. Она громко пыхтела, и из-под нее торчали громадные ноги – нетрудно было догадаться, что ее тащит Огрид.

– Привет, Огрид. Помочь? – спросил Рон, сунув голову в ветви.

– Не-а, все путем, спасибочки, Рон.

– А нельзя ли слегка подвинуться? Пройти невозможно, – раздался сзади холодный, с растяжечкой голос Малфоя. – Что, Уизли, решил подзаработать? Собираешься после школы в дворники? Что ж, Огридова лачуга – дворец по сравнению с конурой твоей семейки.

Рон ринулся на Малфоя, и тут на лестнице появился Злей.

– УИЗЛИ!

Рон отпустил Малфоя, которого успел схватить за грудки.

– Уизли не виноват, профессор Злей. – Огрид высунул между еловых лап косматую физиономию. – Малфой его родню оскорблял.

– Это как угодно, но драки в «Хогварце» запрещены, Огрид, – елейно ответствовал Злей. – Минус пять баллов с «Гриффиндора», Уизли, и скажите спасибо, что не больше. Ну же, проходите, что встали?

Малфой, Краббе и Гойл, самодовольно ухмыляясь, протиснулись мимо елки, засыпав пол хвоей.

– Я ему покажу, – сказал Рон, скрипнув зубами и глядя вслед Малфою. – Скоро он у меня дождется.

– Обоих ненавижу, – произнес Гарри, – и Малфоя, и Злея.

– Да ладно, бросьте вы! А ну гляди веселей! Рождество на носу! – приободрил их Огрид. – Слышьте чего, пошлите-ка Большой зал глянем – там, скажу я вам, картинка!

И вместе с Огридом и елкой они вошли в Большой зал, где профессор Макгонагалл и профессор Флитвик занимались украшениями.

– А, Огрид! Последняя елочка – в дальний угол поставь, хорошо?

Это было великолепно. По стенам висели гирлянды из омелы и остролиста, по всему залу стояло с дюжину елок: одни блистали серебристыми сосульками, другие мерцали огоньками сотен свечей.

– Сколько у вас деньков-то до каникул? – полюбопытствовал Огрид.

– Всего один, – ответила Гермиона. – И кстати, Гарри, Рон: до обеда еще полчаса, мы успеваем в библиотеку.

– Да, точно, – сказал Рон, неохотно отводя взгляд от профессора Флитвика – у того на кончике волшебной палочки надувались золотые шары и он по воздуху отправлял их на ветви новой елки.

– В библиотеку? – удивился Огрид, вслед за ними выходя из Большого зала. – Перед каникулами? Заучились вы чего-то.

– Да это не по учебе, – бодро объяснил Гарри. – Просто с тех пор, как ты упомянул Николя Фламеля, мы хотим знать, кто он такой.

– *Чего?* – Огрид обомлел. – Слушайте-ка, я ж говорю – плюньте вы на это. Не вашего ума дело, чего псина сторожит.

– Мы просто хотим знать, кто такой Николя Фламель, – сказала Гермиона.

– Или ты скажи – сэкономишь нам время и силы, – добавил Гарри. – Мы уже сотни книг перерыли, и нигде его нет... Хоть намекни – я же помню, что где-то про него читал.

– Ничего не скажу, – бесцветно пробубнил Огрид.

– Значит, сами найдем, – сказал Рон, и они, покинув недовольного Огрида, отправились в библиотеку.

С того дня, когда Огрид неосторожно помянул Николя Фламеля, они и правда перерыли кучу книг – ну а как еще выяснить, за чем охотится Злей? Беда в том, что неизвестно, откуда начинать: кто его знает, что совершил этот Фламель и в какую книгу за это попал. Его не было ни в «Великих колдунах двадцатого века», ни в «Знаменитых волшебниках нашей эпохи», ни в «Важнейших открытиях современной магии», ни в «Исследовании новейших тенденций колдовства». А школьная библиотека изумляла размерами: десятки тысяч книг, тысячи полок, сотни узких стеллажей.

Гермиона достала список тем и книг, которые выбрала на сегодня, а Рон пошел к полкам и принялся вытаскивать книги наугад. Гарри побрел в Закрытый отдел. Ему давно казалось, что Фламель отыщется именно там. К сожалению, для доступа к запретным книгам требовалось письменное разрешение учителя, на которое Гарри даже не рассчитывал. В Закрытом отделе хранились книги сильнейших заклинаний черной магии – их разрешалось читать только старшеклассникам, изучающим высший курс защиты от сил зла.

– Что потеряли, юноша?

– Ничего, – соврал Гарри.

Библиотекарша госпожа Щипц замахнулась на него перьевой метелкой для пыли.

– Тогда уходите быстренько, вон отсюда.

Жалея, что не состряпал какую-нибудь правдоподобную историю, Гарри ушел из библиотеки. Все трое с самого начала решили, что госпожу Щипц лучше не посвящать. Без сомнения, она подсказала бы, где найти требуемое, – но тогда слухи об их изысканиях могут дойти до Злея.

Гарри слонялся по коридору в надежде, весьма, впрочем, слабой, что Рону или Гермионе сегодня повезет. Конечно, они ищут уже две недели, но урывками, между занятий; неудивительно, что пока ничего не нашли. Нужно искать долго и тщательно – и чтобы госпожа Щипц не дышала в затылок.

Через пять минут, разочарованно тряся головами, подошли Рон с Гермионой. Они отправились на обед.

– Вы ведь и без меня будете искать, правда? – спросила Гермиона. – И не забудьте прислать сову, если что найдете.

– А ты, может, спросишь про Фламеля у родителей? – предложил Рон. – Ведь не страшно, если ты у них спросишь?

– Совершенно не страшно – они оба зубные врачи, – ответила Гермиона.

Начались каникулы, денечки до того счастливые, что Гарри с Роном сделалось не до Фламеля. В спальне они остались вдвоем, да и в общей гостиной уже не требовалось драться за лучшие кресла у камина. Они сидели там часами, ели все, что можно было поджарить на длинной вилке – хлеб, пышки, зефир, – и строили козни против Малфоя: как бы сделать так, чтобы его исключили? Это было очень весело, хоть и невыполнимо.

Еще Рон начал обучать Гарри игре в колдовские шахматы. Игра в точности походила на шахматы муглов, только фигуры были живыми, а сражение – очень реальным. Шахматы Рона, старые и обшарпанные, как и все его имущество, некогда принадлежали кому-то из родных, в данном случае – дедушке. Однако старые фигуры были бравыми вояками. Рон хорошо их изучил, и в его войсках не возникало проблем с дисциплиной.

Гарри играл набором Шеймаса Финнигана, и фигуры ему не доверяли. Играл он пока неважно, и фигуры то и дело кричали на него и давали советы, от которых Гарри терялся:

– Не посылай меня туда, ты что, не видишь – там вражеский конь! Пошли *его*, его мы запросто можем отдать!

В сочельник Гарри отправился спать, предвкушая и завтрашнее веселье, и ужин, но никак не ожидая подарков. Однако поутру увидел в изножье горку свертков.

– Счастливого Рождества, – сонно пробормотал Рон, услышав, что Гарри встал и надевает халат.

– Тебе тоже, – ответил Гарри. – Смотри! У меня подарки!

– А ты чего ждал, репку? – Рон повернулся к собственной горке, куда больше, чем у Гарри.

Гарри взял верхний сверток. Тот был обернут в толстую коричневую бумагу и надписан разляписто: «Гарри от Огрида». Внутри оказалась грубовато вырезанная деревянная флейта. Очевидно, Огрид смастерил ее своими руками. Гарри подул – смахивало на уханье совы.

Во второй малюсенький пакетик была вложена записка:

Получили твое письмо. Рождественский подарок прилагаем.

Дядя Вернон и тетя Петуния

К записке скотчем была приклеена монетка в пятьдесят пенсов.

– Мило, – сказал Гарри.

Рон пришел от монеты в восторг.

– *Ну и ну!* – закричал он. – Ну и форма! И это *деньги?!*

– Возьми себе, – предложил Гарри. Рон был так доволен, что Гарри расхохотался. – От Огрида, от дяди с тетей – а *это* от кого?

– Я, кажется, знаю, – сказал Рон, порозовев. Он показал на бесформенный пухлый пакет: – От мамы. Я ей сказал, что ты не ждешь подарков и... ой нет! – застонал он. – Она связала тебе «Уизвитер».

Гарри нетерпеливо разорвал упаковку и достал толстый изумрудный свитер ручной вязки и большую коробку домашней помадки.

– Каждый год она вяжет нам всем по свитеру, – объяснил Рон, разворачивая свой, – и мне вечно достается свекольный.

– Здорово! – И Гарри откусил помадку, невероятно вкусную.

В следующем свертке тоже оказались конфеты – большая коробка шокогадушек от Гермионы.

Оставался последний подарок. Гарри взял его и взвесил на руке. Очень легкий. Гарри развернул.

Что-то легкое, текучее серебристо скользнуло на пол и застыло, посверкивая складками. Рон ахнул.

– Я про такие слышал, – сказал он очень тихо, выронив коробку всевкусных орешков, полученную от Гермионы. – Если я правильно угадал, то... это правда огромная редкость – и очень ценная вещь.

– А что это?

Гарри поднял с пола сверкающую серебристую ткань, странную на ощупь – словно сотканную из воды.

– Плащ-невидимка, – благоговейно прошептал Рон. – Я почти уверен... Примерь.

Гарри накинул плащ на плечи, и Рон вскрикнул:

– *Точно!* Посмотри вниз!

Гарри посмотрел себе на ноги, но их не было. Он кинулся к зеркалу. И увидел свое отражение – голову в воздухе. Без тела. Гарри натянул плащ на голову, и отражение исчезло вовсе.

– Тут записка! – сообщил Рон. – Записка выпала!

Гарри снял плащ и схватил письмо – этот узкий, петлистый почерк был ему не знаком:

Твой отец оставил это мне перед смертью. Пришло время передать тебе.

Используй с толком.

Веселого тебе Рождества.

Без подписи. Гарри задумчиво глядел на записку. Рон же восхищался плащом.

– Я бы *что угодно* за него отдал, – признался он. – *Что угодно*... Да что с тобой?

– Ничего, – ответил Гарри, но ему было странно. Кто прислал плащ? Он правда когда-то принадлежал отцу?

Не успел он ничего сказать и даже подумать, как дверь распахнулась и в спальню ввалились Фред и Джордж. Гарри поспешно спрятал плащ. Не хотелось никому его показывать.

– С Рождеством!

– Смотри-ка – у Гарри тоже «Уизвитер»!

Фред и Джордж были одеты в одинаковые синие свитера – на одном красовалась большая желтая буква «Ф», а на другом – «Д».

– А между прочим, маменька расстаралась, – заявил Фред, оглядев свитер Гарри. – Вот что значит – для чужого ребенка.

– А ты свой почему не надеваешь, Рон? Ну-ка давай – он приятный и теплый, – скомандовал Джордж.

– Терпеть не могу свекольный цвет, – нерешительно застонал Рон, просовывая голову в воротник.

– На твоем нет буквы, – заметил Джордж. – Видимо, мама уверена, что уж ты-то своего имени не забудешь. Но и мы не дураки: точно знаем, который из нас Дред, а который – Фордж.

– Что за шум?

В спальню заглянул весьма недовольный Перси Уизли. Он тоже явно успел посмотреть подарки – на руке у него висел «Уизвитер», который Фред немедленно захватил.

– «П»! Значит – «пуп земли»! Давай, Перси, надевай, мы уже, даже у Гарри такой есть.

– Я... не... хочу... – глухо отбивался Перси, пока близнецы силой пропихивали его голову в воротник, сбивая с носа очки.

– Все равно ты сегодня со старостами не сидишь, – сказал Джордж. – Рождество – праздник семейный.

И близнецы уволокли из спальни Перси, спеленутого свитером по рукам и ногам.

За всю жизнь Гарри не видал такого роскошного рождественского обеда. Сотня жирных жареных индеек, горы вареной и печеной картошки, огромные блюда сосисок; чаши зеленого горошка с маслом, флотилии серебряных соусников с густой ароматной подливкой и клюквенным соусом, а также множество колдовских хлопушек, тут и там разложенных по столу. Эти развлечения не шли ни в какое сравнение с тем, что обычно устраивали на Рождество Дурслеи, достаточно вспомнить их жалкие пластмассовые игрушки и убогие бумажные шляпы. Гарри с Фредом на двоих разломили волшебную хлопушку, и та не просто взорвалась – она бабахнула, как пушка, и окутала всех клубами голубого дыма, а изнутри выскочили контр-адмиральская фуражка и несколько живых белых мышей. Думбльдор за Высоким столом сменил остроконечную колдовскую шляпу на соломенную с цветами и весело кудахтал над анекдотом, который прочел ему профессор Флитвик.

За индейкой последовали рождественские пудинги, политые пылающим коньяком. Перси чуть не сломал зуб о серебряный сикль, оказавшийся в его ломте. Гарри наблюдал за Огридом – тот требовал еще и еще вина и все гуще багровел. Кончилось тем, что он поцеловал в щеку профессора Макгонаголл, и та, к великому изумлению Гарри, лишь покраснела и захихикала, и шляпа у нее съехала набекрень.

Наконец Гарри вывалился из-за стола, нагруженный всякой всячиной из хлопушек – например упаковкой нелопающихся и светящихся воздушных шариков, набором для самостоятельного выращивания бородавок и собственными новенькими волшебными шахматами. Белые мыши куда-то разбежались, и Гарри сильно подозревал, что они попадут на рождественский стол к миссис Норрис.

Вместе с братьями Уизли Гарри до вечера самозабвенно кидался во дворе снежками. Затем, промокшие, замерзшие и запыхавшиеся, они ввалились в гостиную «Гриффиндора» и попадали в кресла перед камином, где Гарри обновил свой шахматный набор, проигравшись Рону в пух и прах. Он, правда, не исключал, что проиграл бы не так позорно, если б Перси не лез с подсказками.

За ужином – сэндвичи с индейкой, пышки, бисквиты и рождественский пирог – все объелись так, что до самого отбоя не могли ничем толком заняться – лишь валялись по креслам и лениво наблюдали, как Перси гоняется за Фредом и Джорджем по всей башне: у близнецов хватило энергии стащить у брата значок старосты.

Лучшего Рождества у Гарри не бывало, и все же что-то подспудно грызло его весь день. Однако подумать как следует он смог, лишь забравшись вечером в постель. Итак: плащ-невидимка и кто же его прислал.

Рон, наевшийся индейки и пирога и не обремененный тайнами, заснул, едва задернув полог. А Гарри свесился с кровати и вытащил из-под нее плащ-невидимку.

Отцовский плащ... Отцовский. Материя струилась между пальцев – мягче шелка, легче воздуха. «Используй с толком», – говорилось в записке.

Надо его померить сейчас же. Гарри слез с кровати и замотался в плащ. Взглянув себе на ноги, увидел лишь тени да лунный свет. Очень странное зрелище.

Используй с толком.

Гарри вдруг совершенно проснулся. С плащом-невидимкой ему открыт весь «Хогварц». Он стоял в тишине и темноте спальни, дрожа от нетерпения. Он сможет пройти куда угодно – и никакой Филч ничего не заподозрит.

Рон забормотал во сне. Разбудить его? Что-то удержало Гарри. Отцовский плащ... Он чувствовал, что в этот раз – в первый раз – должен опробовать плащ один.

Гарри тихонько выбрался из спальни, спустился по лестнице, прошел через гостиную и вылез в дыру за портретом.

– Кто тут? – спросонок каркнула Толстая Тетя. Гарри ничего не ответил. Он быстро зашагал по коридору.

Куда же пойти? Он остановился – сердце билось как сумасшедшее – и задумался. И вдруг до него дошло – Закрытый отдел библиотеки. Можно читать сколько захочется, сколько понадобится, чтобы отыскать Николя Фламеля. И Гарри двинулся в путь, плотнее запахнувшись в плащ.

В библиотеке стояла непроглядная темень и вообще было жутко. Гарри зажег лампу: надо же видеть, куда идешь. Казалось, лампа сама плывет в воздухе, и Гарри, хоть и чувствовал ее у себя в руке, все равно поеживался от этого зрелища.

Закрытый отдел находился в самой глубине библиотеки. Аккуратно переступив канат, отделявший запретные книги, Гарри поднял лампу повыше и начал читать названия.

Те сообщили не много. На корешках облупившиеся, потускневшие золотые буквы неизвестных языков. У некоторых книг названий не было вовсе. На обложке одной темнело пятно, подозрительно похожее на кровь. У Гарри волосы стали дыбом. Может, ему и мерещилось, но он различал шепоток на стеллажах, словно книги знали, что рядом чужой.

Однако надо с чего-то начинать. Гарри осторожно поставил лампу на пол и оглядел нижнюю полку: нет ли тут книги с интересным корешком? Заметил большой черный с серебром фолиант. Не без труда – невероятно тяжелый том – Гарри стащил книгу с полки и, кое-как приспособив на коленке, распахнул.

Кошмарный вопль прорезал торжественную тишину библиотеки – книга закричала! Гарри поспешно захлопнул ее, но вопль не умолкал – одна непрерывная, высокая, ушераздирающая нота. Гарри неловко попятился и опрокинул лампу, которая тотчас погасла. Его охватила паника – и тут в довершение всех бед из коридора донеслись шаги. Гарри поскорей запихнул орущую книгу на место и помчался к выходу. Филча он миновал в дверях; бесцветные, безумные глаза посмотрели прямо сквозь него. Гарри прошмыгнул у Филча под рукой и бесшумно помчался по коридору. В ушах звенели крики потревоженного фолианта.

Внезапно он чуть не врезался в рыцарские латы. Он так хотел убраться подальше от библиотеки, что не обратил внимания, куда бежит. И сейчас – вероятно, из-за темноты – никак не мог понять, где же он. Гарри знал, что рыцарские доспехи есть где-то возле кухни, но он вроде бы пятью этажами выше?

– Вы просили докладывать непосредственно вам, профессор, если кто-то будет бродить по ночам. Так вот, кто-то проник в библиотеку – в Закрытый отдел.

Гарри физически ощутил, как кровь стынет в жилах. Где бы он ни был, Филч, похоже, знал потайной ход сюда: его вкрадчивый, липкий голос слышался все явственней – и, к ужасу Гарри, ответил Филчу не кто иной, как Злей:

– Закрытый отдел? Что ж, далеко они уйти не могли, мы их поймаем.

Гарри будто прирос к полу – Злей и Филч вышли из-за ближайшего угла. Конечно, они не видели Гарри, но коридор узок, они непременно его заденут – хоть и невидимый, Гарри оставался твердым телом.

Гарри отступил как можно тише. Слева оказалась приоткрытая дверь – единственная надежда на спасение. Затаив дыхание, он протиснулся в щель, стараясь не потревожить дверь, – и, к величайшему счастью, его не услышали. Филч со Злеем прошли мимо, а Гарри обессиленно привалился к стене, тяжело дыша и прислушиваясь к затихающим шагам. Проклятье, он чуть не влип! Лишь несколько секунд спустя он заметил, что его окружало.

Заброшенная классная комната? У стены чернели наваленные друг на друга парты и стулья, перевернутая мусорная корзина, но у дальней стены высилось нечто совершенно здесь неуместное, как будто его оставили лишь затем, чтобы спрятать от посторонних глаз.

Великолепное зеркало – до потолка, в резной золоченой раме, на двух когтистых лапах. Поверху резная надпись: «Иов тяин евор косон килен».

Шаги Злея и Филча совсем стихли, и страх мало-помалу отступил. Гарри приблизился, рассчитывая не увидеть отражения. И смело встал прямо перед зеркалом.

Ему пришлось зажать рот обеими руками, чтобы не закричать. Он стремительно обернулся. Сердце колотилось гораздо сильней, чем от вопля книги, – в зеркале он увидел не только себя, но и целую толпу народу за спиной.

Однако комната была пуста. Часто дыша, Гарри вновь медленно повернулся к зеркалу.

Вот он, бледный и перепуганный, и вот за его спиной еще человек десять. Гарри оглянулся – никого. Или они тоже все невидимки? Что, в комнате полно невидимых людей, а зеркало все равно их отражает?

Гарри опять посмотрел в зеркало. Женщина, стоявшая прямо за спиной у его отражения, улыбалась и махала. Гарри пошарил рукой позади себя. Если б она и вправду стояла там, он бы ее нащупал, слишком уж близко друг к другу их отражения, но рука хватала воздух – женщина и остальные существовали только в зеркале.

Женщина была очень хороша собой. У нее были темно-рыжие волосы, а глаза... *у нее глаза как у меня*, подумал Гарри, шагнув чуть ближе. Ярко-зеленые – и тот же разрез, но теперь Гарри заметил слезы: улыбаясь, женщина плакала. Высокий и худой черноволосый человек обнимал ее за плечи. Он был в очках, и волосы сильно растрепаны. Они торчком стояли на затылке совсем как у Гарри.

Гарри подошел к зеркалу так близко, что чуть не носом уперся в собственное отражение.

– Мама? – прошептал он. – Папа?

Они смотрели и улыбались. Постепенно Гарри вгляделся в лица других людей в зеркале и увидел еще несколько пар зеленых глаз, как у него, несколько похожих носов, а у одного старичка такие же мослыстые коленки... Впервые в жизни Гарри видел свою семью.

Поттеры улыбались и дружно махали Гарри, а он жадно всматривался в их лица, прижав ладони к зеркалу – словно хотел пройти сквозь стекло и дотронуться до родных. Его пронзала ни на что не похожая боль: великая радость пополам с великой печалью.

Гарри не знал, сколько времени простоял так. Отражение не исчезало, и Гарри смотрел на них и смотрел, пока шум вдалеке не заставил его опомниться. Нельзя здесь оставаться, надо успеть добраться до спальни. Он оторвал взгляд от лица матери, шепнул:

– Я еще приду, – и поспешил прочь из комнаты.

– Мог бы меня разбудить, – обиженно буркнул Рон.

– Пойдем сегодня. Я опять пойду – покажу тебе зеркало.

– Я очень хочу увидеть твоих маму с папой, – сказал Рон.

– А я – всех твоих, и старших братьев, и всех...

– Да чего на них смотреть, – махнул рукой Рон. – Приезжай летом в гости, и все дела. И вдруг это зеркало показывает только умерших? Жалко только, что про Фламеля не удалось выяснить. Съешь хоть бекона, что ты совсем ничего не ешь?

Но Гарри не мог проглотить ни кусочка. Он встретился с родителями и сегодня ночью опять их увидит. Он и думать забыл про Фламеля. Кому до него есть дело? Какая разница, чтó охраняет трехголовая псина? И даже если Злей это украдет, что изменится?

– Что с тобой? – спросил Рон. – Ты какой-то странный.

Больше всего Гарри боялся, что не найдет снова комнату с зеркалом. Они укутались плащом вместе с Роном – так идти гораздо медленнее, чем одному. Они постарались пройти весь путь Гарри от библиотеки и проблуждали по темным коридорам с час.

– Я уже замерзаю, – пожаловался Рон. – Может, ну его, пойдем назад?

– *Нет!* – прошипел Гарри. – Это рядом, я точно знаю.

Мимо проскользнуло привидение долговязой ведьмы, но больше никто не попадался. Рон совсем было разнылся, что у него заледенели ноги, но тут Гарри заметил доспехи:

– Это здесь – вот она, вот!

Они распахнули дверь. Гарри сбросил плащ и подбежал к зеркалу.

Вот они! Увидев сына, мама и папа так и просияли.

– Видишь? – прошептал Гарри.

– Ничего не вижу.

– Да смотри же! Смотри... Вот они все...

– Я вижу только тебя.

– Смотри как следует! Встань на мое место, давай.

Гарри отступил, но, когда Рон занял его место перед зеркалом, Гарри больше не увидел своей семьи – только Рона в байковой пижаме с огурцами.

Рон, однако, пялился на свое отражение как зачарованный.

– Посмотри-ка на меня! – воскликнул он.

– Ты тоже видишь всю свою семью?

– Нет... Я один! Только не как сейчас – старше, и я старший староста!

– *Что?*

– И у меня... значок, как у Билла... а в руках кубок колледжа и еще квидишный кубок... и я капитан команды!

Рон с трудом оторвался от восхитительного зрелища и глянул на Гарри с восторгом:

– Как по-твоему, это зеркало показывает будущее?

– С чего бы? Мои-то все умерли, дай я еще посмотрю...

– Ты вчера всю ночь смотрел, дай лучше я посмотрю.

– Ты же просто держишь кубок, что тут интересного? А я хочу на родителей посмотреть.

– Не толкайся...

В коридоре раздался шум, и они замолчали. Они и не заметили, как громко раскричались.

– Быстро!

Рон еле успел с головой укрыть себя и Гарри – светящиеся глаза миссис Норрис уже обшаривали комнату. Рон и Гарри стояли не дыша и думали об одном: действует ли плащ на кошек? Вечность спустя миссис Норрис повернулась и вышла.

– Здесь опасно оставаться – она отправилась за Филчем, наверняка же нас слышала. Пошли скорей отсюда.

И Рон потащил Гарри из комнаты.

Наутро снег еще не растаял.

– Поиграем в шахматы? – предложил Рон.

– Не хочу.

– Может, сходим в гости к Огриду?

– Не хочу... Иди один.

– Я знаю, о чем ты думаешь, Гарри. О зеркале. Не ходи туда сегодня.

– Почему?

– Не знаю. Нехорошее предчувствие. И потом, ты уже несколько раз чуть не попался. Злей, Филч, миссис Норрис – они все так и рыщут вокруг. Ну, они тебя не видят... и что с того? А если они на тебя наткнутся? А если ты сам что-нибудь опрокинешь по дороге?

– Ты прямо как Гермиона.

– Я серьезно, Гарри, не ходи.

Но у Гарри было лишь одно желание – снова встать перед волшебным зеркалом. И никакой Рон его не остановит.

В третий раз он нашел дорогу гораздо легче. Он шел быстро, сам понимал, что шуму от него больше чем следует, но, на счастье, никого не встретил.

И вот опять родители улыбались ему, а один дедушка радостно кивал. Гарри сел перед зеркалом на пол. Почему ему не провести эту ночь вместе с семьей? Что может ему помешать?

Кроме...

– Итак – ты опять вернулся, Гарри?

У Гарри внутри все заледенело. Он оглянулся. На парте у стены сидел не кто иной, как профессор Альбус Думбльдор. Наверное, Гарри так рвался к зеркалу, что прошел мимо него и даже не заметил.

– Я... не видел вас, сэр.

– Просто удивительно, до чего близоруки становятся невидимки, – промолвил Думбльдор, и Гарри, к своему облегчению, увидел, что профессор улыбается. – Итак, – продолжал Думбльдор, легко соскользнув с парты и усаживаясь на пол возле Гарри, – ты, как и сотни других до тебя, открыл чудеса Зеркала Джедан.

– Я не знал, что оно так называется, сэр.

– Но, я полагаю, ты уже понял, что оно делает?

– Оно... ну... оно показывает мне мою семью...

– А твоему другу Рону показало, что он старший староста.

– Откуда...

– Мне плащ не нужен, чтобы стать невидимым, – мягко сказал Думбльдор. – Ну, так ты догадался, что показывает нам Зеркало Джедан?

Гарри покачал головой.

– Позволь объяснить. Счастливейший человек на земле мог бы смотреться в него, как в самое обыкновенное зеркало, – смотрел бы и видел себя таким, каков есть. Понимаешь?

Гарри подумал. А затем медленно проговорил:

– Оно показывает нам то, чего мы хотим... чего бы мы ни хотели...

– И да и нет, – тихо ответил Думбльдор. – Оно показывает наши самые сокровенные желания. Не больше и не меньше. Ты не знал семьи – и увидел себя в окружении родственников. Рональд Уизли, которого всегда затмевали старшие братья, увидел себя в одиночестве лучшим из лучших. Однако Зеркало Джедан не дает нам ни знания, ни истины. Многие люди прошляпили свое будущее, стоя перед этим зеркалом, завороженные тем, что видят, – а то и сошли с ума, гадая, верно ли, возможно ли то, что им показано... Завтра зеркало перенесут на новое место, и я прошу тебя, Гарри, больше его не искать. Если же ты когда-нибудь *случайно* на него наткнешься, ты знаешь теперь, чего от него ждать. Негоже витать в облаках и забывать о реальной жизни, помни об этом. Ну а сейчас надевай-ка свой замечательный плащ и отправляйся баиньки.

Гарри поднялся.

– Сэр... Профессор Думбльдор? Можно вас спросить?

– Разумеется, и ты это уже сделал, – улыбнулся Думбльдор. – Но можешь задать еще один вопрос, разрешаю.

– А что видите в зеркале вы?

– Я? Я вижу себя с толстыми шерстяными носками в руках.

Гарри вытаращил глаза.

– Носков никогда не бывает слишком много, – пояснил Думбльдор. – Между тем очередное Рождество миновало, а мне так и не подарили ни единой пары. Все почему-то считают, что книги уместнее.

Лишь вновь очутившись в постели, Гарри подумал, что Думбльдор, похоже, слукавил. С другой стороны, рассудил он, спихивая Струпика с подушки, вопрос был, пожалуй, чересчур личный.

Глава тринадцатая

Николя Фламель

Думбльдор убедил Гарри больше не искать Зеркало Джедан, и остаток рождественских каникул аккуратно сложенный плащ-невидимка провел на дне сундука. Гарри и хотел бы забыть о том, что видел в зеркале, да не мог. Ему стали сниться кошмары. Снова и снова он смотрел, как родители исчезают в ярчайшей вспышке зеленого света, и слышал пронзительный хохот...

– Видишь, Думбльдор не наврал: от этого зеркала и впрямь рехнуться можно, – сказал Рон, когда Гарри поведал ему о кошмарах.

Гермиона вернулась в школу за день до начала семестра. Она смотрела на вещи иначе – и то ужасалась при мысли, что Гарри целых три ночи подряд шатался по коридорам замка («А если бы

Филч тебя поймал?»), то сокрушалась, что он так и не выяснил, кто такой Николя Фламель.

Надежда найти упоминание о Фламеле в библиотечных книжках почти иссякла, хотя Гарри по-прежнему не сомневался, что где-то уже это имя встречал. Тем не менее с началом семестра они вновь начали забегать в библиотеку минут на десять на переменах. При этом у Гарри из-за квидишных тренировок времени было еще меньше, чем у его друзей.

Древ выматывал команду по полной. Поколебать его боевой дух не могло ничто, даже нескончаемый дождь, сменивший снегопады. Близнецы Уизли стонали и жаловались, обзывая Древа психом ненормальным, но Гарри был на стороне капитана. Если им удастся победить «Хуффльпуфф», они обойдут «Слизерин» в борьбе за кубок – впервые за последние семь лет. А кроме того, Гарри обнаружил, что реже видит страшные сны, если падает от усталости как подкошенный.

Однажды после тренировки, на которой все особенно сильно вымокли и перепачкались, Древ сообщил команде скверную новость. Разозлившись на двойняшек Уизли за то, что они затеяли пикировать друг на друга и притворяться, что от удара слетают с метлы, Древ не выдержал:

– Да прекратите вы когда-нибудь дурака валять? Из-за ваших глупостей мы и проиграем! Судить ведь будет Злей, а уж он найдет к чему придраться, лишь бы снять с «Гриффиндора» побольше баллов!

Услышав такое, Джордж Уизли и в самом деле свалился с метлы.

– Злей – судья?! – Он наглотался грязи и теперь отплевывался. – С каких это пор он судит квидишные матчи? Он не сможет не подсуживать, если станет ясно, что мы обходим «Слизерин».

Остальные члены команды приземлились рядом с Джорджем и тоже принялись возмущаться.

– А я что тут сделаю? – отбивался Древ. – Играйте безупречно, чтобы Злею придраться было не к чему, – вот и все.

Оно, конечно, замечательно, думал Гарри, но по мне, так лучше б вовсе без Злея, пока я в воздухе...

После тренировки народ как ни в чем не бывало болтал о всякой всячине, а Гарри направился прямиком в гриффиндорскую гостиную, где застал Рона и Гермиону за партией в шахматы. Лишь в шахматы Гермиона проигрывала – и это, по мнению Гарри и Рона, шло ей только на пользу.

– Не говори пока со мной, – пробормотал Рон, когда Гарри сел рядом, – мне надо сосредото... – Тут он заметил, какое у друга лицо. – Что случилось? У тебя жуткий вид.

Очень тихо, чтобы никто не подслушал, Гарри рассказал о внезапном зловещем намерении Злея быть судьей на матче.

– Не играй, – тут же сказала Гермиона.

– Скажи, что заболел, – сказал Рон.

– Притворись, что сломал ногу, – предложила Гермиона.

– *По-настоящему* сломай ногу, – предложил Рон.

– Не могу, – ответил Гарри. – У нас нет запасного Ловчего. Если я откажусь, «Гриффиндор» вообще не выйдет на поле.

Внезапно в гостиную кулем ввалился Невилл. Как ему это удалось, осталось загадкой: ноги его были скованы кандальным заклятием. Ему, наверное, пришлось как зайцу прыгать вверх по лестнице в гриффиндорскую башню.

Разумеется, все расхохотались – только Гермиона бросилась к нему и произнесла контрзаклятие. Ноги Невилла расцепились, и бедняга, которого мелко трясло, смог наконец встать.

– Что случилось? – спросила Гермиона, помогая Невиллу дойти до кресла и усаживая его рядом с Гарри и Роном.

– Малфой... – Голос у Невилла дрожал. – Я наткнулся на него около библиотеки. И он сказал, что ему нужен подопытный кролик.

– Иди к профессору Макгонаголл! – воскликнула Гермиона. – Расскажи ей!

Невилл замотал головой.

– Не хочу лишних неприятностей, – промямлил он.

– Надо дать ему отпор, Невилл! – вмешался Рон. – Малфой привык топтать людей, но это же не повод выстилаться перед ним ковриком.

– Не надо напоминать, что я трусоват для гриффиндорца, Малфой это уже сделал, – выдавил Невилл.

Гарри порылся в кармане, достал шокогадушку – последнюю из коробки, подаренной Гермионой на Рождество, – и протянул Невиллу. Казалось, тот сейчас заплачет.

– Ты стоишь дюжины таких, как Малфой, – сказал Гарри. – Шляпа-Распределительница назначила тебя в «Гриффиндор», правда? А Малфой где? В вонючем «Слизерине».

Губы Невилла скривились в жалком подобии улыбки. Он развернул шокогадушку.

– Спасибо, Гарри... Я, наверное, пойду спать... Карточка нужна? Ты же их собираешь?

Невилл отправился в спальню, а Гарри посмотрел, какой знаменитый колдун достался ему на сей раз.

– Опять Думбльдор, – сказал он. – Его карточка попалась мне первой, когда... – И тут он ахнул. Перевернул карточку, прочел текст. Затем медленно поднял глаза на Рона и Гермиону. – *Нашел!* – прошептал он. – Нашел Фламеля! Я же говорил, что где-то его встречал! В поезде, когда ехали сюда! Слушайте: «Думбльдор особенно прославился своей победой над злым колдуном Гриндельвальдом в 1945 году, изобретением двенадцати способов использования драконьей крови, а также *совместной с Николя Фламелем работой в области алхимии*»!

Гермиона подскочила. Давно она не бывала так взбудоражена – пожалуй, с тех пор, как им выдали самую первую домашнюю работу с отметками.

– Ждите здесь! – крикнула она и помчалась в спальню девочек.

Гарри и Рон едва успели заинтригованно переглянуться, как Гермиона уже влетела обратно с огромной старинной книгой в руках.

– Никогда бы не подумала, что здесь тоже нужно искать! – возбужденно шептала она. – Я взяла это в библиотеке давным-давно... легкое чтение перед сном.

– *Легкое?* – переспросил Рон, но Гермиона цыкнула на него, чтобы сидел тихо, пока она чего-то там не найдет, и, бормоча, принялась со страшной скоростью листать страницы.

В конце концов она отыскала нужное место.

– Я так и знала! *Так* и знала!

– Уже можно разговаривать? – поинтересовался Рон.

Гермиона не удостоила его ответом.

– Николя Фламель, – прочитала она торжественно, – является *единственным известным на сегодняшний день создателем философского камня!*

Однако это не возымело должного эффекта.

– Чего? – тупо переспросили Гарри и Рон.

– Ну, *честное слово* – вы что, ничего не читаете? Смотрите сами – вот.

Гермиона подтолкнула книгу ближе, и Гарри с Роном прочли:

Средневековые исследования в области алхимии представляли собой попытки создать так называемый философский камень – легендарное вещество удивительной волшебной силы. Этот камень способен превратить любой металл в чистое золото. Также с его помощью можно производить Эликсир Жизни – напиток, дарящий бессмертие.

На протяжении многих веков неоднократно появлялись сообщения о создании философского камня, однако единственный реально существующий камень принадлежит мистеру Николя Фламелю, знаменитому алхимику и ценителю оперного пения. Мистер Фламель, в прошлом году отметивший свой 665-й день рождения, ведет уединенную жизнь в Девоне вместе со своей 658-летней женой Перенеллой.

– Теперь ясно? – воскликнула Гермиона, когда Гарри и Рон дочитали. – Пес, видимо, охраняет философский камень Фламеля! Спорим, Фламель попросил Думбльдора спрятать камень, они ведь друзья! Фламель знал, что за камнем охотятся, вот и решил забрать его из «Гринготтса»!

– Камень, который создает золото и не дает умереть, – сказал Гарри. – Неудивительно, что Злей хочет его заполучить. Кто угодно бы захотел.

– И неудивительно, что мы не нашли Фламеля в «Важнейших открытиях современной магии», – вставил Рон. – Не очень-то он современный, раз ему шестьсот шестьдесят пять.

Утром на защите от сил зла, переписывая с доски способы лечения укусов оборотней, Гарри и Рон продолжали обсуждать, что сделали бы с философским камнем, попади он к ним в руки. И, пока Рон не сказал, что приобрел бы собственную квидишную команду, Гарри ни разу не вспомнил ни о Злее, ни о предстоящем матче.

– Я буду играть, – объявил он Рону и Гермионе. – Если я не выйду на поле, слизеринцы решат, что я испугался Злея. А я им покажу... Вот выиграем и сметем с их рож гнусные ухмылочки!

– Главное, чтоб тебя самого не пришлось сметать с поля, – сказала Гермиона.

День матча приближался, и Гарри, что бы он ни говорил друзьям, волновался все больше. Остальные члены команды тоже нервничали. Конечно, победить «Слизерин» в чемпионате школы было бы чудесно, это уже семь лет никому не удавалось, да только получится ли с таким предвзятым судьей?

Гарри не знал, воображение у него разыгралось или что, но Злей теперь попадался ему повсюду. Преследует, надеясь застать одного? Уроки зельеделия превратились в еженедельную пытку, до того зверски обращался с Гарри учитель. Может, догадался, что они узнали про философский камень? Непонятно, правда, как; впрочем, иногда у Гарри появлялось ужасное подозрение, что Злей умеет читать мысли.

Когда назавтра Рон и Гермиона желали Гарри удачи перед дверью раздевалки, он знал – они боятся больше не увидеть его живым, и это отнюдь его не успокаивало. Едва ли Гарри слышал хоть слово из напутственной речи Древа, пока облачался в форму.

Тем временем Рон и Гермиона нашли на трибуне места рядом с Невиллом, который никак не мог взять в толк, чего они такие хмурые и встревоженные и зачем принесли с собой на матч волшебные палочки. Гарри не подозревал, но Рон и Гермиона тайно учились накладывать кандальное заклятие. Идею, в сущности, подал Малфой, зачаровав Невилла, но теперь они готовились обездвижить Злея, если тот выкажет хоть малейшее намерение причинить вред Гарри.

– Не забудь – «Локомотор Мортис», – бормотала Гермиона на ухо Рону, пока тот прятал волшебную палочку в рукав.

– Я *помню*, – раздраженно огрызнулся Рон. – Не нуди.

Между тем в раздевалке Древ отвел Гарри в сторонку:

– Не хочу давить, Поттер, но нам как никогда важно поскорее поймать Проныру. Закончить игру раньше, чем Злей успеет слишком подсудить «Хуффльпуффу».

– Вся школа собралась! – закричал Фред Уизли, высовываясь за дверь. – Даже – небеса всемогущие! – сам Думбльдор подвалил.

Сердце в груди у Гарри исполнило сальто-мортале.

– Думбльдор? – переспросил он и кинулся к двери. И точно: эту серебряную бороду ни с чем не спутаешь.

Гарри едва не засмеялся от облегчения. Он спасен. Злей не посмеет причинить ему зло на глазах у Думбльдора.

Возможно, именно поэтому у Злея была такая злая морда, когда команды выстраивались на поле; это и Рон заметил.

– Злей прямо мрачнее тучи, – шепнул он Гермионе. – Смотри – взлетают. Ай!

Кто-то стукнул Рона по затылку. Оказалось, Малфой.

– Ах, извини, Уизли, я тебя не заметил. – Малфой широко ухмылялся Краббе и Гойлу. – Интересно, сколько Поттер на этот раз продержится на метле? Поспорим? А ты, Уизли, хочешь пари?

Рон не ответил; Злей только что присудил хуффльпуффцам пенальти за то, что Джордж Уизли пульнул в него Нападалой. Гермиона, сощурившись и скрестив сразу все пальцы, следила за Гарри, который ястребом кружил над игроками и выглядывал Проныру.

– Знаете, по какому принципу, на мой взгляд, отбирают игроков в команду «Гриффиндора»? – громко спросил Малфой через несколько минут, как раз когда Злей без видимых причин присудил «Хуффльпуффу» еще одно пенальти. – Туда берут тех, кого жалко. Вот, например, Поттер –

у него нет родителей. Потом Уизли – у них нет денег. И тебе, Лонгботтом, прямая дорога в команду – у тебя нет мозгов.

Невилл ярко покраснел и все-таки смело повернулся к Малфою.

– Я стою дюжины таких, как ты, – промямлил он.

Малфой вместе с Краббе и Гойлом покатились со смеху, а Рон, не решаясь оторвать взгляд от игры, подбодрил:

– Так его, так, Невилл.

– Лонгботтом, если бы мозги были золотом, ты был бы беднее Уизли... И это еще слабо сказано.

Рон от беспокойства за Гарри и так уже был на пределе.

– Слушай, Малфой, предупреждаю – еще слово...

– Рон! – вскрикнула Гермиона. – Гарри!..

– Что? Где?

Гарри вдруг резко пошел вниз. Зрители заахали, завопили. Гермиона вскочила с места, сунув скрещенные пальцы в рот, и завороженно смотрела, как Гарри пулей несется к земле.

– Уизли, радуйся, Поттер денежку углядел, – сказал Малфой.

Рон не выдержал. Малфой не успел и ахнуть, как Рон уже сидел на нем, притиснув к трибуне. Невилл поколебался и перелез через спинку скамьи – помочь.

– Давай, Гарри! – закричала Гермиона, вскочив на сиденье, чтобы лучше видеть.

Гарри летел прямо на Злея, и Гермиона не замечала у себя под ногами ни Рона с Малфоем, ни визжащего клубка из рук и ног, в который сплелись Невилл, Краббе и Гойл.

А в воздухе Злей повернулся на метле и успел заметить, как совсем рядом мелькнуло нечто малиновое, и тут жс Гарри, триумфально воздев над головой руку с пойманным ПроныроЙ, вышел из пике и взмыл ввысь.

Трибуны взорвались – это был рекорд: никто не помнил случая, чтобы Проныру поймали так скоро.

– Рон! Рон! Ты где? Игра окончена! Гарри победил! Мы победили! «Гриффиндор» впереди! – Визжа, Гермиона, танцевала на сиденье, а затем кинулась обниматься к Парвати Патил в переднем ряду.

В футе от земли Гарри спрыгнул с метлы. Он не верил сам себе. Он победил – игра окончена; она продлилась едва ли пять минут. Гриффиндорцы один за другим соскакивали с метел на поле. Неподалеку приземлился Злей с белым лицом и поджатыми губами – и тут Гарри почувствовал у себя на плече чью-то руку, поднял голову и встретился взглядом с улыбающимся Думбльдором.

– Отлично, – похвалил Думбльдор так тихо, что услышал только Гарри. – Приятно видеть, что ты не скучал по зеркалу... занимался делом... молодец...

Злей сердито сплюнул на землю.

Немного погодя Гарри вышел из раздевалки – отнести «Нимбус-2000» в сарай. Давно уже он не был так счастлив. Теперь ему есть чем по-настоящему гордиться – уже никто не скажет, что он известен только своим именем. Никогда еще вечерний воздух не пах так сладко. Гарри брел по мокрой траве, вновь переживая события последнего часа: тот слился в упоительный калейдоскоп счастья – вот к нему бегут гриффиндорцы и на плечах уносят с поля, вот поодаль скачут Рон и Гермиона, и у Рона из носа течет кровь, а он все равно орет: «Ура!»

Гарри подошел к сараю. Прислонился к деревянной двери и стал смотреть на «Хогварц»: окна замка зажглись красным в лучах заходящего солнца. «Гриффиндор» вырвался вперед. Он победил, он показал Злею...

Кстати, о Злее...

Скрываясь под капюшоном, с крыльца замка быстро сошел человек. Явно не желая, чтобы его заметили, он торопливо зашагал к Запретному лесу. Гарри сразу позабыл о своей победе – он узнал эту крадущуюся походку. Злей тайком идет в Запретный лес, пока остальные сидят за ужином... С чего бы это?

Не раздумывая, Гарри вновь оседлал метлу и поднялся в воздух. Бесшумно паря над замком, он проследил, как Злей буквально вбежал в лес. Гарри направил метлу за ним.

Кроны деревьев были так густы, что Гарри не видел, куда делся Злей. Тогда он начал витать кругами, задевая верхушки деревьев, пока наконец не услышал голоса. Он полетел на звук, бесшумно опустился на высокий бук и осторожно полез по ветке, крепко держа в руках метлу и стараясь сквозь листву разглядеть, что происходит внизу.

Там, на темной поляне, стоял Злей – причем не один. С ним был Страунс. Гарри не видел его лица, но заикался Страунс сильнее обычного. Гарри изо всех сил прислушался.

– ...н-не знаю, з-зачем вам п-п-понадобилось встречаться с-со мной именно з-здесь, Злотеус...

– Ну, я просто надеялся сохранить наш секрет, – ответил Злей ледяным тоном. – В конце концов, ученикам не положено знать о философском камне.

Гарри сильнее подался вперед. Страунс что-то промямлил. Злей его прервал:

– Вы уже выяснили, как пройти мимо чудища Огрида?

– Н-н-но, Злотеус, мне...

– Поверьте, вам не понравится, если я стану вашим врагом, Страунс, – заявил Злей и шагнул ближе.

– Я н-н-не з-з-знаю, что в-вы...

– Вы прекрасно знаете, что я имею в виду.

Громко ухнула сова, и Гарри чуть не свалился с дерева. Он выровнялся на словах Злея:

– ...ваш милый фокус-покус. Я жду.

– Н-но я н-не...

– Чудесно, – перебил Злей. – Вскоре нам выпадет возможность побеседовать еще, а до той поры вы все обдумаете и решите, на чьей вы стороне.

Он накинул капюшон на голову и стремительно удалился. Почти совсем стемнело, но Гарри ясно видел Страунса. Тот стоял неподвижно, словно окаменев.

– Гарри, где же ты *был?* – вскричала Гермиона.

– Наши победили! Ты победил! Наши победили! – вопил Рон, колошматя Гарри по спине. – И я поставил Малфою фингал, а Невилл один дрался с Краббе и Гойлом! Он еще не пришел в себя, но мадам Помфри говорит, с ним все будет в порядке, – вот и проучили слизеринцев! Все ждут тебя в гостиной, у нас праздник, Фред с Джорджем стащили на кухне пирогов и еще много чего вкусного!

– Это сейчас не важно, – слегка задыхаясь, сказал Гарри. – Пошли, найдем пустую комнату, я вам такое расскажу...

Он убедился, что в комнате нет Дрюзга, и плотно закрыл дверь, после чего рассказал обо всем, что видел и слышал.

– Так что мы были правы – это и впрямь философский камень, и Злей пытается заставить Страунса помочь. Злей спросил, знает ли Страунс, как пройти мимо Пушка, а еще говорил про какой-то «ваш фокус-покус»: значит, видимо, камень охраняет не только собака, еще что-то... Заклинание, и вряд ли одно, да еще Страунс наверняка наложил какое-нибудь заклятие от сил зла, сквозь которое Злею самому не прорваться...

– То есть хочешь сказать, камень в безопасности, только пока Страунс не расколется? – встревожилась Гермиона.

– Тогда считайте, что к следующему вторнику каменюка – тю-тю, – заявил Рон.

Глава четырнадцатая

Норберт, норвежский зубцеспин

Страунс, однако, оказался орешком потверже, чем они думали. Неделя шла за неделей, профессор бледнел и худел, но, кажется, не сдавался.

Всякий раз, проходя по коридору третьего этажа, Рон, Гарри и Гермиона прикладывались к двери: по-прежнему ли там ворчит Пушок? Злей носился по школе в привычно дурном расположении духа – верный знак, что камень все еще в безопасности. При встречах со Страунсом Гарри ободряюще улыбался, а Рон стыдил всех, кто насмехался над профессором-заикой.

У Гермионы между тем появились заботы посерьезней философского камня. Она принялась составлять расписания повторения пройденного и размечать разными цветами конспекты. Гарри с Роном и не возражали бы, но Гермиона с великим занудством пыталась привлечь и их.

– Гермиона, экзамены еще через сто лет.

– Десять недель, – отрезала Гермиона. – Для Николя Фламеля – просто секунда.

– Но нам-то не по шестьсот лет, – напомнил Рон. – И вообще, зачем тебе повторять, ты и так все знаешь.

– Зачем? Ты в своем уме? Да если не сдадим, нас не переведут во второй класс! Это очень ответственные экзамены, надо было давным-давно начинать готовиться, и о чем я только думала, где была моя голова...

К сожалению, точку зрения Гермионы полностью разделяли учителя. Они так завалили учеников заданиями, что пасхальные каникулы в отличие от рождественских прошли не особо весело. Нелегко отключиться от учебы, когда над душой постоянно висит Гермиона – то зубрит двенадцать способов применения драконьей крови, то отрабатывает взмахи волшебной палочкой. Гарри и Рон, зевая и постанывая, почти все свободное время проводили в библиотеке рядом с Гермионой и кое-как разделывались с дополнительными заданиями.

– Никогда мне всего этого не запомнить, – не выдержал однажды Рон, швырнул перо и с тоской уставился в окно библиотеки. За окном сиял первый по-настоящему весенний день. Небо чистое, незабудковое, и в воздухе чувствовалось приближение лета.

Гарри разыскивал «бадьян дикий» в «Тысяче волшебных трав и грибов» и оторвался от книжки, только когда Рон крикнул:

– Огрид! А ты что делаешь в библиотеке?

Гигант, шаркая, вышел из-за полок, пряча что-то за спиной. В плаще из чертовой кожи он выглядел здесь неуместно.

– Да глянул тут кой-чего, – ответил он так уклончиво, что троица тут же заинтересовалась. – А вам что занадобилось? – И вдруг спросил подозрительно: – Вы ведь не по Фламелеву душу, нет?

– Мы сто лет назад выяснили, кто он такой, – важно сообщил Рон. – А еще мы *знаем*, что охраняет твой песик, – это философский ка...

– *Ш-ш-ш!* – Огрид испуганно огляделся. – Чего орешь, сдурел?

– Кстати, мы хотели задать тебе пару вопросов, – вмешался Гарри. – Например, кто или что, кроме Пушка, охраняет камень?

– Ш-Ш-Ш! – снова зашипел Огрид. – Слушьте – забегайте ко мне попозже.

Не обещаю, что все расскажу, только нечего на каждом шагу болтать, ученикам про это знать не положено. Подумают еще, что я проболтался...

– Тогда до встречи, – сказал Гарри.

Огрид, шаркая, удалился.

– А что это он там прятал? – задумчиво произнесла Гермиона.

– Думаешь, что-нибудь про камень?

– Пойду-ка взгляну, в каком разделе он копался. – Рон был только рад отвлечься от учебы. Он вернулся через минуту со стопкой книг и кучей свалил их на стол. – *Драконы!* – шепотом воскликнул он. – Огрид читал про драконов! Только посмотрите: «Породы драконов Великобритании и Ирландии», «От яйца до чудовища», «Справочник драконовода».

– Огрид всегда хотел дракона – сам мне признался, в первую же встречу, – вспомнил Гарри.

– Но это же противозаконно, – сказал Рон. – Разведение драконов запрещено Колдовской Конвенцией 1709 года, это всем известно. Как колдунам скрываться от муглов, если они будут держать у себя во дворе драконов? А кроме того, их невозможно приручить, они опасны. Видели бы вы, какие у Чарли ожоги от диких румынских!

– Но в *Британии* ведь нет диких драконов? – спросил Гарри.

– Конечно, есть, – ответил Рон. – Обыкновенные валлийские зеленые и гебридианские черные. Вот министерству магии забота. Колдуны то и дело стирают память маглам, которые видели драконов.

– Что же такое задумал Огрид? – нахмурилась Гермиона.

Подойдя к хижине час спустя, они с удивлением обнаружили, что окна плотно занавешены. Огрид сначала крикнул:

– Кто там? – а уж потом впустил их и быстро захлопнул дверь.

Внутри стояла духота. Несмотря на теплую погоду, в очаге полыхал огонь. Огрид заварил чай и предложил гостям бутерброды с мясом горностая, от которых они отказались.

– Ну, чего спросить-то хотели?

Не было смысла ходить вокруг да около. И Гарри спросил:

– Можешь сказать, кто или что, кроме Пушка, охраняет философский камень?

Огрид нахмурился.

– Яс'дело, не могу, – отрезал он. – Во-первых, сам не знаю. А вы и так уже шибко умные, так что и мог бы – не сказал.

Раз камень здесь, значит, надо. Его чуть не украли из «Гринготтса» – ну, да это вы скумекали и сами. Ума не приложу, как вы про Пушка выведали.

– Ой, Огрид, перестань – нам ты, может, и не хочешь говорить, но сам все прекрасно знаешь. Здесь же ничего не происходит без твоего ведома, – ласково и вкрадчиво произнесла Гермиона. Борода Огрида дернулась – он улыбнулся. – Нам скорее интересно, кто организовал охрану, – продолжала Гермиона. – Кому, кроме тебя, доверяет Думбльдор?

От этих слов Огрид гордо выпятил грудь. Гарри и Рон восхищенно посмотрели на Гермиону.

– Ну, это... Небось не страшно, ежели я скажу... Дайте-ка вспомнить... У меня Пушка взял... Потом учителя заклятия наложили... Профессор Спарж... профессор Флитвик... профессор Макгонаголл... – Огрид загибал пальцы, – профессор Страунс... Ну и сам Думбльдор тоже, яс'дело, руку приложил. Погодь, кого-то запамятовал... Ах да, профессор Злей.

– *Злей?*

– Ага. Вы опять снова-здорово? Слушьте, Злей *защищал* камень, на кой ему этот камень тибрить?

Гарри знал: Рон и Гермиона думают о том же, что и он. Если Злей обеспечивал защиту камня, ему ничего не стоило выяснить, какие заклятья наложили остальные учителя. Возможно, он уже все их знает – кроме, похоже, заклятия Страунса и что делать с Пушком.

– Ты ведь один знаешь, как пройти мимо Пушка, Огрид? – тревожно спросил Гарри. – И никому не скажешь, да? Даже учителям?

– Ни-ни, ни единой живой душе! Только мы с Думбльдором знаем.

– Хоть что-то, – тихо сказал Гарри друзьям. – Огрид, можно открыть окно? Я уже закипаю.

– Нельзя, Гарри, извини, – отказал Огрид и бросил взгляд в очаг.

Гарри тоже посмотрел.

– Огрид! *Что это?*

Но он уже и так догадался. Посреди очага, под чайником, лежало громадное черное яйцо.

– А-а... – промолвил Огрид, беспокойно теребя бороду. – Это... Э-э-э...

– Где ты его взял, Огрид? – Рон присел на корточки у огня, чтобы получше рассмотреть яйцо. – Оно же стоит целое состояние!

– Выиграл, – похвастался Огрид. – Давеча в деревне. Пошел пропустить пару кубков, ну и перебросился в картишки с одним типом. А он, по-моему, и рад был его с рук сбыть.

– Что ты с ним будешь делать, когда он вылупится? – спросила Гермиона.

– Ну, я тут это... порылся в книжках... – Огрид вытянул из-под подушки здоровенный том. – В библиотеке взял. «Выращивание драконов для выгоды и удовольствия» – устарела, конечно, но все сведенья есть. И что яйцо надо держать в огне – потому что мамки на них дышат, понимаете? – и что, как вылупится, раз в полчаса давать ведро бренди с цыплячьей кровью. А тут вот – как определять породу по яйцу. У меня норвежский зубцеспин! Редкость, вот так вот.

Он был страшно доволен собой, но Гермиона не разделяла его радости.

– Огрид, ты живешь в *деревянном доме*, – напомнила она.

Но тот не слушал. Он весело что-то мурлыкал, вороша угли.

Таким образом, прибавилось новое беспокойство: как бы не узнали, что Огрид держит у себя запрещенного дракона.

– Интересно, какая она бывает, спокойная жизнь? – вздохнул Рон.

Вечер за вечером они героически сражались с домашними заданиями. Гермиона теперь составляла учебное расписание и для Гарри с Роном, чем доводила их до бешенства.

А однажды за завтраком Хедвига принесла Гарри записку от Огрида. Всего одно слово: «Вылупляется».

Рон предложил прогулять гербологию и поскорей отправиться в хижину. Но Гермиона и слушать не захотела.

– Гермиона, ну сколько еще раз в жизни нам доведется наблюдать, как вылупляется дракон?

– Нам надо на уроки, и мы наживем неприятности, но это пустяки в сравнении с тем, что ждет Огрида, когда выяснится, чем он занимается у себя в...

– Тихо! – шепотом прикрикнул Гарри.

В паре шагов от них стоял Малфой – замерев и насторожившись. Что он успел услышать? Гримаса его Гарри не понравилась.

Рон с Гермионой препирались всю дорогу до теплиц, и в конце концов Гермиона согласилась сбегать к Огриду на большой перемене. Едва раздался удар колокола, возвещавший окончание урока, они побросали совки и побежали к опушке. Огрид приветствовал гостей, весь красный и страшно довольный.

– Почти уже вылупился! – Он провел их внутрь.

Яйцо лежало на столе. По скорлупе шли глубокие трещины. Внутри что-то шевелилось и странно щелкало.

Все четверо придвинули стулья к столу и, затаив дыхание, сели наблюдать.

Вдруг что-то хрустнуло, и скорлупа развалилась на части. На стол выпал драконий младенец – малосимпатичный. Гарри решил, что он похож на черный и мятый зонтик. Шипастые крылья, огромные в сравнении с черным компактным тельцем, длинное рыльце с широкими ноздрями, зачаточные рожки, выпученные оранжевые глаза.

Малыш чихнул. Из ноздрей вылетели искры.

– Ну не *красавец?* – мурлыкнул Огрид. Он протянул руку и хотел погладить новорожденного пальцем по голове. Тот огрызнулся, показав острые зубки. – Ишь ты, лапуля! Признал мамку!

– Огрид, – спросила Гермиона, – а быстро они растут, норвежские зубцеспины?

Огрид открыл было рот, но вдруг побледнел, вскочил и бросился к окну.

– Что такое?

– Кто-то подглядывал в щель за занавесками, пацан какой-то – вон, обратно в школу почесал!

Гарри стремглав кинулся к двери и выглянул. Даже издали он узнал эту фигуру.

Дракона видел Малфой.

Всю неделю еле заметная улыбка Малфоя нервировала Гарри, Рона и Гермиону. Почти все свободное время они сидели в сумеречной хижине Огрида и взывали к его здравому смыслу.

– Дракона надо выпустить, – убеждал Гарри. – На волю.

– Не могу, – упирался Огрид. – Он еще кроха, помрет.

Все посмотрели на дракона. За неделю кроха вымахал в три раза. Из ноздрей валил дым. Огрид был так с ним занят, что забросил все остальное. По полу валялись пустые бутылки из-под бренди вперемешку с куриными перьями.

– Звать его буду Норберт, – поведал Огрид, умиленно глядя на дракона. – Он меня уже узнает, вы посмотрите. Норберт! Где мамочка? А? Где мамочка?

– Шарики за ролики заехали, – констатировал Рон на ухо Гарри.

– Огрид, – громко позвал Гарри. – Через две недели твой Норберт перестанет помещаться в доме. А Малфой в любой момент донесет Думбльдору.

Огрид прикусил губу.

– Я это... знаю, что нельзя его тут оставлять, но пока... не могу ж я его выбросить.

Гарри вдруг повернулся к Рону:

– Чарли.

– И у тебя тоже заехали, – объявил Рон. – Я – Рон, помнишь меня?

– Да нет – Чарли! Твой брат. В Румынии, изучает драконов. Можно отослать Норберта к нему. Чарли его выкормит, а потом выпустит на волю.

– Отличная мысль! – обрадовался Рон. – Как тебе, Огрид?

В конце концов тот согласился послать Чарли сову, посоветоваться.

Следующая неделя тянулась невозможно долго. В среду вечером Гермиона и Гарри одни сидели в гостиной, остальные давно разошлись спать. Часы на стене едва пробили полночь, когда из дыры за портретом появился Рон, на ходу стаскивая плащ-невидимку. Он вернулся от Огрида – помогал ему кормить Норберта, который теперь целыми корзинами ел дохлых крыс.

– Он меня укусил! – пожаловался Рон и показал руку, обернутую окровавленным носовым платком. – Я теперь неделю перо не смогу держать! Говорю вам, этот дракон – жуть морская, а послушать, как кудахчет над ним Огрид, – это пушистый белый кролик! Тот меня укусил, а Огрид меня же и отругал, чтобы я не пугал малютку. А когда я уходил, он пел этому чучелу колыбельную.

В темное окно осторожно постучали.

– Хедвига! – Гарри вскочил и впустил сову. – Принесла ответ от Чарли!

И три головы склонились над посланием:

Дорогой Рон!

Как поживаешь? Спасибо за письмо – я буду очень рад взять норвежского зубцеспина, вот только доставить его сюда будет нелегко. Пожалуй, разумнее всего передать дракона с моими друзьями, которые на следующей неделе собирались ко мне в гости. Главное, чтобы их не застукали с запрещенным животным.

Не могли бы вы принести зубцеспина на самую высокую башню в субботу в полночь? Они будут ждать вас там и заберут дракона ночью, чтобы никто не увидел.

Пришлите ответ как можно скорее.

Всем привет,
Чарли

Они переглянулись.

– У нас есть плащ-невидимка, – сказал Гарри. – Вряд ли это будет очень сложно – плащ большой, двое из нас вместе с Норбертом поместятся.

И друзья с ним согласились, что лишний раз подтверждает, до чего неудачной выдалась последняя неделя. Они готовы были на все, лишь бы избавиться от Норберта – и от Малфоя.

Однако случилась закавыка. К утру укушенная рука Рона распухла вдвое. Рон опасался идти к мадам Помфри: вдруг та узнает укус дракона? Но к полудню выбора не осталось. Укус зловеще позеленел. Видимо, зубки у Норберта были ядовиты.

Под вечер Гарри и Гермиона прибежали в лазарет проведать Рона – он был в ужасном состоянии.

– Это не только из-за руки, – прошептал он. – Хотя болит так, будто вот-вот отвалится. Но Малфой сказал мадам Помфри, что хочет одолжить у меня одну книгу, она его впустила, а он надо мной потешался. И все угрожал, что расскажет, кто меня на самом деле укусил... Я-то ей сказал, что собака, но она, похоже, все равно не поверила... Зря я с ним подрался на стадионе, теперь он мне мстит.

Гарри с Гермионой попытались его успокоить.

– В субботу в полночь все будет позади, – сказала Гермиона, но Рона это нисколько не утешило. Наоборот, он рывком сел на постели, весь в поту.

– В субботу в полночь! – хрипло простонал он. – Нет! Ой нет! Я только что вспомнил: письмо от Чарли лежало в книжке, которую взял Малфой! Теперь он знает, что мы вывозим Норберта.

Ни Гарри, ни Гермиона ответить не успели. Вошла мадам Помфри и выгнала их – мол, больной нуждается в отдыхе.

– Передумывать поздно, – сказал Гарри Гермионе. – У нас нет времени посылать Чарли еще одну сову, и это, скорее всего, единственный шанс избавиться от Норберта. Придется рискнуть. Но у нас все-таки *есть* плащ-невидимка – Малфой-то про него не знает.

Они пришли к Огриду с отчетом о новостях. Клык сидел возле хижины с перевязанным хвостом, а Огрид разговаривал с ними через окно.

– Не могу впустить, – пропыхтел он. – У Норберта переходный возраст, но я с ним слажу.

Услышав про письмо от Чарли, Огрид чуть не заплакал – хотя, возможно, лишь потому, что Норберт как раз тяпнул его за ногу.

– У-у-у-ух! Ничего, ничего, башмак прокусил – играется. Несмышленыш еще, понимаете?

Несмышленыш колотил хвостом по стене хижины так, что дрожали стекла. Гарри и Гермиона возвращались в замок с одной мыслью – скорей бы суббота.

Пожалуй, они пожалели бы Огрида – тот тяжело расставался с Норбертом, – если бы меньше переживали из-за всего, что им предстояло. Ночь была темной, пасмурной, и они слегка опоздали: пришлось ждать, пока из вестибюля не уберется Дрюзг, игравший сам с собой в сквош.

Огрид заботливо упаковал Норберта в большой деревянный ящик.

– Я там и крыс ему положил, и бренди на дорожку, – глухо пробубнил Огрид. – И плюшевого мишку любимого.

В ящике что-то затрещало – кажется, мишке отрывали голову.

– До свиданья, Норберт! – всхлипнул Огрид. Гарри и Гермиона укрыли ящик плащом-невидимкой и спрятались сами. – Мамочка тебя никогда не забудет!

Как удалось донести ящик до замка, они и сами не поняли. Полночь неуклонно приближалась, а они упорно тащили Норберта вверх по мраморной лестнице вестибюля и дальше, по темным коридорам. Вверх по еще одной лестнице, и еще... даже короткий путь, недавно открытый Гарри, не слишком помог.

– Почти пришли! – пропыхтел Гарри, когда они ступили в переход под самой высокой башней замка.

Что-то мелькнуло впереди, и они чуть не выронили ящик. Забыв о том, что невидимы, они отшатнулись глубже в тень, вглядываясь в темные силуэты двух людей, которые схватились друг с другом шагах в десяти. Вспыхнул фонарь.

Профессор Макгонаголл, в халате из шотландки и с сеточкой на волосах, держала за ухо Малфоя.

– Наказание! – кричала она. – И минус двадцать баллов со «Слизерина»! Бродить среди ночи! Да как вы только *посмели*...

– Вы не понимаете, профессор. Сюда идет Гарри Поттер – с драконом!

– Несусветная чушь! Ложь! Как вы смеете! Идемте, Малфой, – я сообщу о вас профессору Злею!

После этого крутая винтовая лестница на вершину башни показалась сущим пустяком, но, пока не вышли наружу, на холодный ночной воздух, они не решались снять плащ-невидимку, а наконец сняв, с наслаждением вдохнули полной грудью. Гермиона затанцевала.

– Малфоя наказали! Малфоя наказали! Я сейчас запою!

– Не стоит, – предупредил Гарри.

Потешаясь над Малфоем, они ждали, а Норберт бесновался в ящике. Минут через десять из темноты вырулили четыре метлы.

Друзья Чарли оказались веселой компанией. Они показали Гарри и Гермионе упряжь, которую смастерили, чтобы подвесить Норберта между собой. Все дружно впрягли дракона, а потом Гарри и Гермиона попрощались с ними за руку и сказали большое, большое спасибо.

Наконец-то Норберт улетал от них... улетал... *улетел*.

Гарри с Гермионой тихонько спустились по винтовой лестнице, чувствуя легкость в руках и в сердцах: Норберта нет, Малфой наказан – чем можно омрачить такое счастье?

Ответ поджидал их у подножия лестницы. Стоило им шагнуть в коридор, из тьмы вынырнула физиономия Филча.

– Так-так-так, – прошептал он. – Вот мы и *попались*.

Они забыли плащ-невидимку на вершине башни.

Глава пятнадцатая

Запретный лес

Хуже и быть не могло.

Филч отвел нарушителей в кабинет профессора Макгонаголл на первом этаже, где они сели молча ждать своей участи. Гермиону била мелкая дрожь. Извинения, алиби, дикие отмазки теснились в голове у Гарри – одна нелепей другой. Пожалуй, на этот раз выпутаться не удастся. Они загнаны в угол. Как они *могли* так сглупить – забыли плащ-невидимку? Профессор Макгонаголл не примет никаких объяснений, их поведение непростительно. Их застигли ночью вне спальни, хуже того – возле астрономической башни, куда разрешено ходить только на занятия. Плюс Норберт и плащ-невидимка – нет, всё, можно собирать вещички.

Хуже и быть не могло? Гарри ошибался. Явилась профессор Макгонаголл – с Невиллом.

– Гарри! – воскликнул Невилл. – Я тебя искал, хотел предупредить, я слышал, как Малфой грозился тебя поймать! Он сказал, у вас дра...

Гарри затряс головой, чтобы Невилл замолчал, но профессор Макгонаголл заметила. И нависла над ними так, словно вот-вот опалит пламенем похлеще любого Норберта.

– Я ни за что не поверила бы, что вы на такое способны. Ми тер Филч утверждает, что вы были на астрономической башне. В час ночи! *Объяснитесь.*

Впервые в жизни Гермиона не знала, как ответить на вопрос учителя. Застыв как статуя, она рассматривала свои тапочки.

– Полагаю, я и сама способна разобраться, что произошло, – сказала профессор Макгонаголл. – Тут не требуется быть гением. Вы хотели вовлечь Драко Малфоя в неприятности и наболтали ему про дракона, чтобы выманить ночью из постели. Его я уже поймала. Надо полагать, вам очень забавно, что Лонгботтом тоже поверил в ваши россказни?

Гарри поймал взгляд Невилла и попытался мысленно внушить ему, что это неправда, – до того бедняга был обижен и потрясен. Бедный Невилл! Гарри прекрасно понимал, чего ему стоила ночная вылазка ради их спасения.

– Это отвратительно, – не унималась профессор Макгонаголл. – Сразу четверо учеников вне спальни в такой час! Неслыханно! Уж о вас, мисс Грейнджер, я была лучшего мнения. Что касается вас, мистер Поттер, я считала, что вы цените «Гриффиндор» намного больше. Вы трое будете наказаны – да-да, и вы тоже, мистер Лонгботтом, *ничто* не дает вам права бродить ночью по школе, особенно теперь, это же опасно. И я снимаю с «Гриффиндора» пятьдесят баллов.

– *Пятьдесят?* – задохнулся Гарри. Так они потеряют лидерство, которое он отвоевал в матче!

– Пятьдесят *за каждого*, – выговорила профессор Макгонаголл. Ноздри ее длинного, острого носа гневно раздувались.

– Профессор... пожалуйста...

– Так же *нельзя*...

– Не учите меня, Поттер, что мне можно, а чего нельзя. А теперь – спать, быстро! Мне еще никогда не приходилось так краснеть за гриффиндорцев.

Минус сто пятьдесят баллов. «Гриффиндор» теперь на последнем месте. Одним махом они лишились всякой надежды на кубок. У Гарри что-то оборвалось внутри. Как такое компенсируешь?

Гарри не спал всю ночь. Он слышал, как Невилл долго-долго рыдал в подушку, и не знал, чем его утешить. Он понимал, что Невилл, как и он сам, в ужасе перед завтрашним днем. Что будет, когда станет известно об их подвигах?

Наутро гриффиндорцы, проходя мимо гигантских песочных часов, которые показывали количество баллов, поначалу решили, что произошла ошибка. Куда могли за ночь подеваться целых сто пятьдесят? Потом по школе поползла новость: виной всему Гарри Поттер, герой двух квидишных матчей, и еще двое глупых первоклашек.

Только что Гарри все обожали – а теперь вдруг возненавидели. На него злились даже вранзорцы и хуффльпуффцы: вся школа жаждала лишить «Слизерин» кубка. Куда бы Гарри ни шел, на него показывали пальцами и, говоря гадости, даже не трудились понизить голос. Одни лишь слизеринцы аплодировали, свистели и кричали:

– Спасибо, Поттер, век не забудем!

Только Рон оставался на его стороне.

– Через пару недель все забудут. Колледж столько раз терял баллы из-за Фреда с Джорджем, а их все равно любят.

– Но ведь не по сто пятьдесят баллов разом, правда? – горестно отвечал Гарри.

– Мм... нет, – соглашался Рон.

Поздновато было исправлять положение, но Гарри поклялся никогда больше не вмешиваться не в свои дела. Хватит изображать из себя сыщика. Не зная, куда деваться от стыда, он пошел к Древу и сказал, что уйдет из команды.

– *Уйдешь?* – рявкнул Древ. – И толку? Как мы наберем обратно баллы, если еще и в квидиш перестанем выигрывать?

Но и от квидиша было мало радости. На тренировках никто в команде с Гарри не разговаривал, а если о нем все-таки приходилось упоминать, его называли «Ловчий».

Гермиона и Невилл тоже пострадали. Конечно, не так, как Гарри – их меньше знали, – но и с ними никто не разговаривал. Гермиона перестала поднимать руку на занятиях, не высовывалась и работала молча.

Гарри был почти рад, что скоро экзамены. Подготовка немного отвлекала. Они с Роном и Гермионой держались сами по себе и занимались допоздна: зубрили составы сложных снадобий, учили наизусть заклятия, запоминали даты важнейших колдовских открытий и гоблинских бунтов...

Где-то за неделю до начала экзаменов Гарри, решившего не лезть не в свои дела, подстерег неожиданный искус. Он один возвращался днем из библиотеки – и вдруг услышал какое-то хныканье. Подойдя ближе к двери кабинета, он узнал голос Страунса:

– Нет... нет... только не это, умоляю...

Похоже, ему угрожали. Гарри неслышно подкрался ближе.

– Хорошо, хорошо... – всхлипнул Страунс.

И тут же торопливо вышел из класса, на ходу поправляя тюрбан. Страунс был бледен, едва не рыдал и быстро удалился, вряд ли заметив Гарри. Тот дождался, пока стихнут шаги, и заглянул в класс. Там было пусто, но дверь напротив осталась приоткрытой. Лишь на полпути к ней Гарри вспомнил, что обещал себе ни во что не вмешиваться.

Однако он не задумываясь поспорил бы на двенадцать философских камней: из класса только что вышел Злей, и, наверное, бодрой походкой, – судя по тому, что слышал Гарри, Страунс сдался.

Гарри скорей вернулся в библиотеку, где Гермиона проверяла Рона по астрономии, и рассказал им, что видел и слышал.

– Значит, Злей победил, – сказал Рон. – Если Страунс раскололся, как снять его заклятие...

– Но ведь есть еще Пушок, – напомнила Гермиона.

– Может, Злей и без Огрида узнал, как обойти Пушка. – Рон обвел взглядом полки с книгами. – Наверняка здесь есть справочник, где написано, как обойти гигантскую трехглавую собаку. Что будем делать, Гарри?

В глазах Рона уже зажегся авантюрный огонек, но вместо Гарри ответила Гермиона:

– Идем к Думбльдору. Давно пора было. Если опять сами ввяжемся, нас точно выгонят.

– Но у нас нет *доказательств!* – воскликнул Гарри. – Страунс слишком боится и не сознается. Злей скажет, что понятия не имеет, как тролль проник в школу на Хэллоуин, а он сам даже близко не подходил к третьему этажу... И кому, по-вашему, поверят, ему или нам? Не секрет же, что мы его терпеть не можем. Думбльдор решит, мы все выдумали, чтобы Злея уволили. Филч нам не станет помогать и под страхом смерти, они слишком дружны со Злеем, и вообще, чем меньше в школе учеников, тем Филчу лучше. А кроме того, не забывайте: нам не полагается знать ни про камень, ни про Пушка. Поди тут объясни.

Он убедил Гермиону, но не Рона.

– Но если мы сами немного разведаем...

– Нет, – сухо ответил Гарри. – Уже наразведывались.

Он придвинул к себе карту Юпитера и стал заучивать названия его лун.

Утром за завтраком Гарри, Гермиона и Невилл получили одинаковые записки:

Отбывать наказание вам предстоит сегодня в 23:00.

Мистер Филч будет ожидать вас в вестибюле.

Минерва Макгонагалл

Профессор М. Макгонагалл

Гарри так переживал из-за потери ста пятидесяти баллов, что и думать забыл про наказание. Он ждал, что Гермиона посетует, мол, целая ночь потеряна для занятий, но та не произнесла ни слова. Как и Гарри, она считала, что наказание справедливо.

В одиннадцать вечера они попрощались с Роном в гриффиндорской гостиной и, захватив Невилла, спустились в вестибюль. Филч уже был там – с Малфоем. Гарри совсем забыл, что Малфой тоже наказан.

– За мной, – рявкнул Филч, зажигая фонарь и выводя всех четверых из замка. – Теперь-то сто раз подумаете, прежде чем правила нарушать. – Он злобно осклабился. – О да... Тяжкий труд и боль – вот лучшие учителя, как я всегда говорю... Жаль, прежние наказания отменили... Подвесить бы вас за руки к потолку на пару деньков... У меня ведь и цепи сохранились – держу в порядке и маслицем смазываю, вдруг понадобятся... Так, ну, пошли, что ли... И не вздумайте сбежать, только хуже будет.

Они пересекали темные угодья замка. Невилл всхлипывал. Гарри гадал, что за наказание их ждет. Должно быть, нечто поистине ужасное, иначе Филч бы так не радовался.

Луна светила ярко, но набегавшие облака то и дело погружали маленькую процессию во тьму. Впереди замаячил свет в хижине Огрида. Издали окликнули:

– Филч, ты? Давай поспешай, пора бы уж.

Гарри чуть приободрился; если им предстоит поработать с Огридом, все не так плохо. Вероятно, лицо его выдало, поскольку Филч процедил:

– Ты, видать, рассчитываешь профилонить пару часов с этим олухом? Ошибаешься, юноша, – вы пойдете в лес, и я вам так скажу: вряд ли целыми и невредимыми вернутся все.

Невилл тихо застонал, а Малфой остановился как вкопанный.

– В лес? – переспросил он, и самоуверенности в его голосе поубавилось. – Но туда ночью нельзя – там же всякое... оборотни, говорят...

Невилл вцепился Гарри в рукав и жалко пискнул.

– Ну, уж это ваши заботы, – ехидно проскрипел Филч. – Про оборотней раньше надо было думать.

Навстречу из темноты выступил Огрид, по пятам за ним бежал Клык. Огрид нес большой арбалет, через плечо висел колчан со стрелами.

– Наконец-то, – сказал он. – Жду-пожду, полчаса уже. Гарри, Гермиона, вы как? Порядочек?

– Нечего с ними цацкаться, Огрид, – холодно сказал Филч. – Они вообще-то наказанные.

– Вы поэтому опоздали, да? – Огрид неодобрительно нахмурился. – Мораль им читал? Не твоя это забота, Филч. Сделал дело и гуляй – дальше я сам.

– Вернусь на рассвете, – отозвался Филч. – За останками, – ядовито прибавил он и заковылял обратно в замок, а его фонарь еще долго подпрыгивал в темноте.

Малфой повернулся к Огриду.

– Я в этот ваш лес не пойду, – заявил он, и Гарри не без злорадства расслышал в его голосе страх.

– Придется, коли хочешь остаться в «Хогварце», – свирепо ответил Огрид. – Напакостил – умей отвечать.

– Ходить в лес – работа служителей, ученикам это не полагается! Я думал, нас заставят что-нибудь переписывать! Да если б мой отец знал, чем меня тут заставляют заниматься, он бы...

– Сообщил тебе, что такой уж в «Хогварце» порядок, – прорычал Огрид. – Переписывать, скажешь тоже! Толку-то с того? Либо принеси пользу, либо катись отсюда. Коль твоему папаше больше нравится, чтоб тебя выгнали, ступай и собирай барахлишко. Валяй.

Малфой не пошевелился. Злобно зыркнул Огриду в лицо, но опустил глаза.

– То-то, – сказал Огрид. – Так, слушаем меня. Дело опасное, чтоб никто у меня не геройствовал. Идите-ка сюда на минуточку.

Он подвел их к самому краю леса и, подняв фонарь повыше, осветил узкую извилистую тропинку, терявшуюся меж толстых черных стволов. Все заглянули в лес, и ветерок взъерошил им волосы.

– Гляньте, – проговорил Огрид, – видите, на земле светится? Серебряная такая? Это кровь единорожья. Где-то там единорог, покалечило беднягу... Уже второй за неделю. В ту среду нашел одного мертвого. Пойдем этого искать. Может, прикончим, чтоб не мучился.

– А если тот, кто его покалечил, найдет нас первым? – в страхе спросил Малфой.

– Вас в лесу не тронут, ежели держитесь меня или Клыка, – успокоил Огрид. – С тропы ни ногой. Так. Разделяемся, идем по следу в разные стороны. Кровища вон повсюду, он тут со вчерашней ночи крутится.

– Я пойду с Клыком, – поспешно заявил Малфой, глядя на острые зубы пса.

– Лады, – согласился Огрид. – Но предупреждаю, трусло он страшное. В общем, Гарри и Гермиона со мной, Драко и Невилл – с Клыком. Кто найдет единорога, шлите зеленые искры. Достаньте-ка палочки да потренируйтесь... ага, вот так... а ежели кому помощь нужна, пусть шлет красные, мы отыщем. Короче, осторожней, ну и... двинулись.

Лес был черен и безмолвен. Вскоре они добрались до развилки. Гарри, Гермиона и Огрид пошли по тропе влево, Малфой, Невилл и Клык – вправо.

Они шли молча, глядя под ноги. Лунные лучи, пробиваясь сквозь кроны, то и дело зажигали серебристо-голубым кровь единорога на палой листве.

Гарри видел, что Огрид очень встревожен.

– А оборотень *может* убивать единорогов?

– Прыти не хватит, – ответил Огрид. – Единорога словить не так просто, в них могучая колдовская сила. Я раньше подранков и не видал.

Они миновали замшелый пень. Гарри услышал, как где-то струится вода; должно быть, ручеек неподалеку. На извилистой тропе тут и там попадались лужицы серебристой крови.

– Ты как, Гермиона? – шепотом спросил Огрид. – Не бойся, вряд ли он далеко, раз так ранен, мы его обязательно... А НУ ЗА ДЕРЕВО, БЫСТРО!

Огрид сгреб Гарри и Гермиону в охапку и сволок с тропинки за могучий дуб. Выхватил стрелу, зарядил, поднял арбалет и замер. Все трое напрягли слух. Что-то скользило совсем рядом по сухой листве, словно по земле волочились полы плаща. Огрид вгляделся в сумрачную дорожку, но шелест скоро затих.

– Так и знал, – пробормотал Огрид. – Таскается тут кто-то, кому не положено.

– Оборотень? – спросил Гарри.

– Да какой оборотень. И не единорог никакой, – мрачно ответил Огрид. – Ладно, пошли, но теперь смотрите в оба.

Они зашагали медленнее, прислушиваясь к малейшему шороху. Впереди на поляне что-то мелькнуло.

– Кто идет? – крикнул Огрид. – Покажись, я вооружен!

И на поляне появился... кто, человек или конь? До пояса – человек с рыжими волосами и бородой, ниже – лоснящийся гнедой конь с длинным рыжеватым хвостом. Гарри и Гермиона разинули рты.

– А, Ронан, – с облегчением выдохнул Огрид. – Как жизнь?

Он подошел и поздоровался с кентавром за руку.

– Доброго тебе вечера, Огрид, – ответил Ронан скорбным басом. – Хотел меня пристрелить?

– Осторожность не повредит, – сказал Огрид, похлопав по арбалету. – Завелась тут в лесу какая-то пакость. Да, кстати – это Гарри Поттер и Гермиона Грейнджер. Учатся у нас в школе. А это, ребята, Ронан. Он кентавр.

– Мы догадались, – слабым голосом отозвалась Гермиона.

– Добрый вечер, – поздоровался Ронан. – В школе учитесь? И чему же вас там выучили, в школе?

– Мм...

– Всему понемножку, – робко ответила Гермиона.

– Всему понемножку. Уже кое-что. – Кентавр вздохнул, потом запрокинул голову и поглядел в небо. – Марс сегодня яркий.

– Ага, – ответил Огрид, тоже запрокидывая голову. – Слышь, хорошо, что мы тебя встретили, Ронан. У нас тут единорога подранили. Ничего не видал?

Кентавр ответил не сразу. Он долго смотрел вверх не моргая, потом снова вздохнул.

– Невинные – всегда первые жертвы, – проговорил он. – Так было всегда и всегда будет.

– Ага, – согласился Огрид. – Но ты видел чего, Ронан? Странное чего-нибудь?

– Марс сегодня яркий, – повторил кентавр. Огрид в нетерпении мерил его взглядом. – Необычайно яркий.

– Да, но я-то про другое необычайное, к земле поближе, – пояснил Огрид. – Не замечал ничего?

И снова Ронан помедлил с ответом. Наконец он изрек:

– В лесу таится много секретов.

За деревьями что-то шевельнулось, и Огрид вновь вскинул арбалет, но появился еще кентавр – вороной, черноволосый и на вид совсем дикий.

– Привет, Бейн, – сказал Огрид. – Порядочек?

– Добрый вечер, Огрид, надеюсь, ты здоров.

– Да не болею пока. Слушай, я уж тут поспрашивал Ронана... Может, ты видал на днях чего необычное? Единорога ранили, слыхал?

Бейн подошел и встал рядом с Ронаном. Посмотрел в небо.

– Марс сегодня яркий, – сказал он.

– Это мы в курсе, – проворчал Огрид. – Ладно, ежели кто чего заприметит, скажете мне, лады? А мы потопали.

Гарри и Гермиона пошли вслед за ним, поминутно оглядываясь на кентавров, пока те не скрылись в чащобе.

– Никогда, – раздраженно сказал Огрид, – не добьешься прямого ответа от кентавра. Звездочеты хвостатые. А ежели чего поближе луны, оно им до фонаря.

– А их тут много? – спросила Гермиона.

– Да порядком... Вообще держатся особняком, но всегда придут, как мне надо словцом перекинуться. Они, кентавры, непростые... всё знают... только не говорят.

– Как думаешь, сначала мы тоже слышали кентавра? – спросил Гарри.

– Разве то копыта стучали? Не, я тебе так скажу: там была мразь, которая единорогов убивает, и я раньше ничего похожего не слыхал.

Они петляли меж густых черных деревьев. Гарри то и дело нервно оглядывался. За ними как будто кто следил. Хорошо, что рядом Огрид с арбалетом. Они едва миновали очередной поворот, и тут Гермиона схватила Огрида за руку:

– Огрид! Смотри! Красные искры – наши в беде!

– Вы оба ждите здесь! – крикнул Огрид. – С тропы не сходить, я сейчас!

Он ринулся напролом через подлесок, а Гарри и Гермиона остались стоять, испуганно переглядываясь. Наконец все смолкло, лишь тихо шелестела листва над головами.

– Они целы, как думаешь? – прошептала Гермиона.

– Если Малфою досталось, то без разницы, но если что-то с Невиллом... Он же тут из-за нас.

Минуты тянулись. Слух обострился до предела. Гарри улавливал малейший вздох ветра, тишайший хруст веточки. В чем дело? Где же все?

Наконец послышался громкий треск – Огрид! За ним шли Малфой, Невилл и Клык. Огрид прямо дымился от ярости. Оказывается, Малфой шутки ради схватил Невилла сзади, а тот испугался и послал красные искры.

– Понаделали шуму... Поди поймай теперь хоть что. Так, меняемся. Невилл, ты со мной и Гермионой. Гарри – ты с Клыком и этим обормотом. Извини, – шепнул ему Огрид на ухо, – тебя трудней напугать, а нам дело сделать надобно.

И Гарри отправился в неизведанную тьму вместе с Малфоем и Клыком. С полчаса они шли все глубже в лес. Тропа почти исчезла – слишком густы деревья. Земля здесь, похоже, была полита кровью обильнее. Корни дерева заплесканы сплошь – должно быть, несчастное создание металось от боли. Сквозь непроглядную крону древнего дуба Гарри увидел впереди прогалину.

– Смотри, – пробормотал он и придержал Малфоя.

На земле сияло что-то ярко-белое. Они тихонько подступили ближе.

И впрямь единорог – уже мертвый. Никогда Гарри не видел ничего красивее и печальнее. Длинные, стройные ноги павшего зверя неуклюже торчали в стороны, грива жемчужно светилась на темной листве.

Гарри осторожно шагнул и замер – впереди, шелестя, что-то ползло. Кусты на краю поляны зашевелились... И откуда-то из темноты, крадучись, будто хищный зверь, выскользнула фигура в капюшоне. Гарри, Малфой и Клык окаменели. Существо в плаще приблизилось к единорогу, склонилось над раной в боку, присосалось.

– А-А-А-А-А-А-А-А-А!

Малфой отчаянно заорал и побежал. Клык ринулся за ним. Существо подняло голову – кровь единорога потекла с подбородка – и посмотрело Гарри в глаза. Затем поднялось и устремилось к мальчику, а тот не смел пошевелиться от ужаса.

Голову пронзила невероятная боль – казалось, шрам горит огнем. Полуослепнув, Гарри пошатнулся. Сзади застучали копыта – кто-то подлетел галопом и, перемахнув через Гарри, бросился на фигуру в плаще.

Лоб болел так сильно, что у Гарри подломились колени. Отпустило лишь через минуту-другую. Когда Гарри разлепил глаза, странная фигура уже исчезла. А над ним стоял кентавр, но не Ронан и не Бейн, другой, помоложе, со светлыми волосами и телом соловой масти.

– Ты цел? – спросил кентавр, помогая Гарри подняться.

– Да... спасибо... *Что* это было?

Кентавр не ответил. У него были поразительные голубые глаза – два бледных сапфира. Он внимательно осмотрел Гарри, и взгляд его задержался на шраме – тот отчетливо побагровел.

– Ты – мальчик Поттер, – сказал кентавр, – и лучше тебе поскорее вернуться к Огриду. В лесу стало небезопасно – особенно для тебя. Умеешь ездить верхом? Так быстрее всего... Меня зовут Фиренце, – добавил кентавр, сгибая колени, чтобы Гарри вскарабкался к нему на спину.

За поляной вновь громко застучали копыта. Из чащи вылетели Ронан и Бейн – бока ходили ходуном и лоснились от пота.

– Фиренце! – взревел Бейн. – Что я вижу! У тебя на спине человек? Совсем стыд потерял? Уподобился мулу?

– А ты не видишь, кто это такой? – спросил Фиренце. – Это мальчик Поттер. Чем быстрее он покинет лес, тем лучше.

– Ты что, проболтался? – проворчал Бейн. – Помни, Фиренце, мы поклялись не препятствовать воле небес. Разве движение планет не поведало нам, чему суждено быть?

Ронан нервно рыл копытом землю.

– Наверняка Фиренце хотел как лучше, – уныло произнес он.

Бейн в ярости брыкнул ногами.

– Как лучше! А нам какое дело? Что предсказано, то предсказано! И не кентаврам бегать осликами за людьми, которым вздумалось шататься по лесу!

Фиренце в гневе встал на дыбы, и Гарри судорожно уцепился за его плечи, чтобы не упасть.

– Ты что, не видел единорога? – взревел Фиренце. – Не понимаешь, почему его убили? Или планеты скрыли от тебя эту тайну? Против того, кто прячется в нашем лесу, я стану бороться – и если потребуется, даже бок о бок с людьми.

И, развернувшись, Фиренце поскакал прочь. Гарри цеплялся изо всех сил. Они неслись сквозь чащу; Ронан и Бейн остались далеко позади.

Гарри совершенно ничего не понимал.

– Почему Бейн рассердился? – спросил он. – И вообще, от кого вы меня спасли?

Фиренце пошел шагом, велел Гарри пригнуть голову под низкими ветками, но на вопрос не ответил. Они пробирались меж стволов, молчание затянулось; Гарри решил, что Фиренце больше не желает с ним разговаривать. Однако тут заросли совсем сгустились, и Фиренце неожиданно остановился.

– Гарри Поттер, знаешь ли ты, для чего используется кровь единорога?

– Нет, – удивился Гарри. Странный какой-то вопрос. – На зельеделии мы проходили только рога и волосы из хвоста.

– Ибо убивать единорогов – чудовищное преступление, – сказал Фиренце. – На подобное злодейство способен лишь тот, кому в погоне за всевластием нечего терять. Кровь единорога вернет к жизни, даже если ты на дюйм от неминуемой гибели, но очень дорогой ценой. Спасая себя, ты губишь создание столь невинное и беззащитное, что с той минуты, как его кровь коснется твоих губ, проклятая жизнь твоя будет жизнью лишь наполовину.

Гарри смотрел в затылок Фиренце, отливавший серебром в лунном свете.

– Но кто на это пойдет? – вслух подумал он. – Чем быть навеки проклятым, лучше умереть, разве нет?

– Да, – согласился Фиренце. – Но вдруг тебе надо продержаться совсем чуть-чуть, пока не выпьешь другой напиток, что вернет и силу, и власть и дарует вечную жизнь? Мальчик Поттер, известно ли тебе, что спрятано сейчас в стенах вашей школы?

– Философский камень! Ну конечно – Эликсир Жизни! Но я не понимаю, кто...

– Разве ты не знаешь, кто ждал долгие годы, чтобы вернуться к власти, кто цеплялся за жалкую жизнь в ожидании своего часа?

Точно железный кулак сжал сердце Гарри. В шелесте листвы он как будто вновь услышал слова Огрида, сказанные той ночью, когда они познакомились: «...с чего ему исчезать? Кто говорит, помер. Вот уж бред! В нем небось и человеческого-то не осталось, помереть нечему».

– Вы хотите сказать, – сипло выдавил Гарри, – что это Воль...

– Гарри! Гарри, ты живой?

К ним по дорожке бежала Гермиона. Следом пыхтел Огрид.

– Все отлично, – ответил Гарри, сам едва понимая, что говорит. – Огрид, единорог умер, он там, на поляне.

– Здесь я тебя оставлю, – прошептал Фиренце. – Ты в безопасности.

Гарри соскользнул с его спины.

– Удачи тебе, Гарри Поттер, – пожелал Фиренце. – И раньше бывало, что предсказания планет читались неверно – даже кентаврами. Надеюсь, и ныне мы ошиблись.

Он повернулся и легким галопом поскакал прочь, оставив дрожащего Гарри на тропе.

Ожидая возвращения друзей, Рон заснул в общей гостиной. Гарри растормошил его, Рон спросонок выкрикнул:

– Фол! Фол...

Но глаза его распахнулись, едва Гарри стал рассказывать, что произошло в лесу.

Гарри не сиделось на месте. Он расхаживал взад-вперед перед камином. Его все еще трясло.

– Злею камень нужен для Вольдеморта... Вольдеморт отсиживается в лесу... а мы-то думали, Злей всего-навсего хочет разбогатеть...

– Прекрати называть его по имени! – испуганным шепотом воскликнул Рон, словно боялся, что Вольдеморт их услышит.

Гарри не обратил внимания.

– Фиренце меня спас, хотя не должен был... Бейн страшно рассердился... Сказал, нельзя вмешиваться в предсказанное планетами... Наверное, они показали, что Вольдеморт возвращается... Бейн считает, Фиренце зря помешал Вольдеморту меня убить... Видимо, это они тоже прочли по звездам.

– *Да прекратишь ты называть его по имени?!* – просипел Рон.

– Остается только ждать, когда Злей добудет камень, – лихорадочно продолжал Гарри, – тогда Вольдеморт вернется и меня прикончит... Что же, хоть Бейн порадуется.

Перепуганная Гермиона утешила его, как могла:

– Гарри, все говорят, что Сам-Знаешь-Кто боится одного Думбльдора. Пока Думбльдор рядом, Сам-Знаешь-Кто не осмелится тебя тронуть. И потом, кто сказал, что пророчества кентавров верны? Это же как гадание, а профессор Макгонаголл говорит, что это очень неточная отрасль колдовских наук.

Небо уже посветлело, а они все разговаривали и спать отправились совершенно выдохшиеся и охрипшие. Но оказалось, что ночные сюрпризы еще не кончились.

Откинув одеяло, Гарри обнаружил под ним аккуратно свернутый плащ-невидимку. К нему была приколота записка:

На всякий случай.

Глава шестнадцатая

Вниз, вниз, вниз

Годами позже, вспоминая то время, Гарри не понимал, как же все-таки умудрился сдать экзамены: он ведь с минуты на минуту ждал, что в дверь ворвется Вольдеморт. Однако дни шли за днями, а Пушок сидел за надежно запертой дверью, целый и невредимый.

Стояла удушающая жара – особенно в большом кабинете, где первоклассники сдавали письменные экзамены. Им выдали новые перья, заговоренные от списывания.

Сдавали они и практические экзамены. Профессор Флитвик вызывал их в класс по одному и просил каждого заставить ананас отбить чечетку на столе. Профессор Макгонагалл внимательно наблюдала, как ученики превращают мышь в табакерку, – за изящество табакерки начислялись дополнительные баллы, а за табакерки с усами баллы вычитались. Злей на экзамене всех нервировал: расхаживал по классу и дышал в затылок. Попробуй в таких условиях вспомнить состав зелья забвения!

Гарри старался изо всех сил – и пытался не обращать внимания на боль во лбу: та после похода в Запретный лес не прекращалась. Невилл считал, что Гарри не дает спать тяжелый случай экзаменационного невроза, но на самом деле просто вернулись старые кошмары. Только теперь они были страшнее – Гарри снилось таинственное существо под капюшоном, с окровавленным подбородком.

Рон и Гермиона тревожились о камне куда меньше Гарри – они не видели своими глазами того, что видел он, и у них не пылал от боли шрам на лбу. Безусловно, мысль о Вольдеморте их пугала, но он не являлся им во сне; к тому же они так усердно зубрили, что времени раздумывать, что затевает Злей или кто угодно, у них попросту не оставалось.

Последним экзаменом была история магии. Какой-то час ответов на дурацкие вопросы о сбрендивших колдунах, изобретших дебильные котлы-самомесы, и все – свобода! На целую восхитительную неделю, пока не объявят оценки. Когда призрак профессора Биннза произнес наконец долгожданные слова:

– Положите перья и скатайте пергаменты, – Гарри вместе с остальными завопил от восторга.

– Все оказалось значительно проще, чем я думала, – сказала Гермиона, когда они присоединились к ликующей толпе на солнечной лужайке у школы. – Кстати, не обязательно было учить ни про Кодекс чести оборотня 1637 года, ни про восстание Эльфрика Энергичного.

Гермиона любила обсудить правильные ответы на вопросы прошедших экзаменов, но Рон сказал, что его от этого тошнит, и они просто добрели до озера и плюхнулись там под дерево. Близнецы Уизли вместе с Ли Джорданом щекотали щупальца гигантского кальмара, что грелся на мелководье.

– Никакой больше зубрежки, – счастливо вздохнул Рон, растягиваясь на траве. – Не хмурься, Гарри! Мы еще только через неделю узнаем, что все написали неправильно! Пока можно не беспокоиться.

Гарри потер лоб.

– Хотел бы я знать, что это *значит!* – в сердцах воскликнул он. – Шрам болит все время... И раньше бывало, но так часто – никогда.

– Сходи к мадам Помфри, – посоветовала Гермиона.

– Я не болен, – ответил Гарри. – По-моему, это предупреждение... Впереди опасность...

Но Рона нельзя было напугать – слишком уж было жарко.

– Гарри, успокойся. Гермиона права: пока Думбльдор рядом, с камнем ничего не случится. И потом, с чего ты взял, что Злей выведал, как пройти мимо Пушка? Ему один раз ногу чуть не оторвали – вряд ли он в ближайшее время сунется еще. И скорее Невилл будет играть в квидиш за сборную Англии, чем Огрид предаст Думбльдора.

Гарри кивнул, но все равно не мог отделаться от неясного ощущения, будто забыл что-то сделать, что-то очень важное. Когда он попробовал объяснить, Гермиона сказала:

– Все из-за экзаменов. Я ночью проснулась и успела повторить полкурса превращений, пока не вспомнила, что экзамен-то мы уже сдали.

Гарри, однако, был уверен, что экзамены тут ни при чем. Он задумчиво наблюдал, как по ярко-синему небу к школе подлетает сова с запиской в клюве. Ему вот письма приходят только от Огрида... Огрид никогда не предаст Думбльдора... Огрид никогда никому не скажет, как пройти мимо Пушка... никогда... но...

Гарри вдруг вскочил.

– Ты куда? – сонно промычал Рон.

– Я тут подумал... – сказал Гарри. Он весь побелел. – Нам надо встретиться с Огридом – прямо сейчас.

– Зачем? – пропыхтела на бегу Гермиона, стараясь поспеть за ним.

– Тебе не кажется, что все как-то странно? – Гарри карабкался вверх по травяному склону. – Огрид мечтает о драконе – и ему невесть откуда подворачивается незнакомец, у которого как раз в кармане завалялось яйцо! Сколько народу разгуливает с драконьими яйцами в карманах, если это противозаконно? И вот посчастливилось же ему наткнуться именно на Огрида! Не странно, нет? И как я раньше не сообразил?

– Вы про что это? – спросил Рон, но Гарри, стремглав летя к опушке леса, не ответил.

Огрид сидел в кресле перед хижиной. Закатав штанины и рукава, он лущил горох в огромную миску.

– Приветик, – улыбнулся он. – Отстрелялись? Может, чайку?

– Ага, давай, – согласился Рон, но Гарри перебил:

– Нет, мы торопимся. Огрид, у меня вопрос. Ты говорил, что выиграл Норберта. Как выглядел тот, с кем ты играл?

– А я помню? – беззаботно бросил Огрид. – Он и плаща-то не снимал. – Но, увидев их ошарашенные физиономии, поднял брови. – А чего такого? В «Башке борова» – это деревенская пивная – полно чудиков. А тут – торговец драконами! Лица я не видел, это правда. Он в капюшоне был.

Гарри обессиленно осел на землю к миске с горохом.

– А о чем ты с ним говорил, Огрид? Упоминал «Хогварц»?

– Мог... – Огрид нахмурился, напрягая мозги. – Вроде... Он спросил, чем я занимаюсь, ну, я и говорю, дескать, тут лесником... Он спросил: а за какими зверюгами доводилось присматривать? Я назвал... Потом говорю: всегда жуть как хотел дракона... А потом... Не припомню точно, он всё выпивку заказывал, еще да еще... Погодите-ка... Да, потом он сказал, мол, у него есть драконье яйцо, можно в карты его разыграть... Но, говорит, докажи, что с драконом справишься, я его абы кому не отдам... Тут я и сказал, что после Пушка никакой дракон не страшен...

– А он... он заинтересовался Пушком? – спросил Гарри, стараясь говорить спокойно.

– Ну... да. А чего, много встретишь трехголовых псов, хоть и в «Хогварце»? Я и говорю ему: да Пушок – просто лапочка, если знаешь подход. Сыграй ему какой музычки, он и заснет... Зря я сказал! – вдруг всполошился Огрид. – Забудьте! Эй, вы куда?

Гарри, Рон и Гермиона не произнесли ни слова, пока не остановились в вестибюле. После солнечной улицы там было холодно и мрачно.

– Надо идти к Думбльдору, – решил Гарри. – Огрид рассказал чужому человеку, как пройти мимо Пушка, а под плащом был либо Злей, либо Вольдеморт... Как просто: напоил Огрида – и готово дело! Надеюсь только, что Думбльдор нам поверит. Фиренце может подтвердить – если, конечно, Бейн разрешит. А кстати, где кабинет Думбльдора?

Они осмотрелись, будто рассчитывая увидеть указатель. Им никогда не сообщали, где живет Думбльдор, и никто из знакомых ни разу не бывал в его кабинете.

– Придется нам... – начал Гарри, но тут в холле гулко прозвучало:

– Что это вы здесь делаете? – Появилась профессор Макгонаголл с огромной стопкой книг в руках.

– Нам надо к профессору Думбльдору, – заявила Гермиона – весьма смело, сочли Гарри и Рон.

– К профессору Думбльдору? – переспросила профессор Макгонаголл так, словно это весьма сомнительное желание. – Зачем?

Гарри сглотнул: что же ответить?

– Это... вроде как... секрет, – сказал он и сразу пожалел, ибо ноздри профессора Макгонаголл гневно раздулись.

– Профессор Думбльдор отбыл десять минут назад, – холодно процедила она. – Ему пришла срочная сова из министерства магии, и он незамедлительно вылетел в Лондон.

– *Отбыл?* – отчаянно закричал Гарри. – *Сейчас?*

– Профессор Думбльдор – великий чародей, Поттер, и у него много срочных дел.

– Но это важно.

– Ваше сообщение, Поттер, важнее министерства магии?

– Понимаете, профессор... – начал Гарри, отбросив всякую осторожность, – это насчет философского камня...

Профессор Макгонаголл ждала чего угодно – но не этого. Книги выпали у нее из рук, и она даже не подумала их поднять.

– Откуда вам известно?.. – пролепетала она.

– Профессор, я думаю... то есть *знаю*, что Зл... что кое-кто хочет украсть камень. Мне нужно поговорить с профессором Думбльдором.

Она глядела на него изумленно и с подозрением.

– Профессор Думбльдор вернется завтра, – наконец ответила она. – Не понимаю, как вы узнали про камень, но будьте покойны – украсть его невозможно, он слишком хорошо защищен.

– Но, профессор...

– Поттер, я знаю, что говорю, – отрезала она и наклонилась за книгами. – Ступайте, погуляйте на солнышке.

Никуда они не пошли.

– Это будет сегодня, – заговорил Гарри, убедившись, что профессор Макгонаголл не слышит. – Злей пойдет в хранилище ночью. Он уже знает все, что надо, и Думбльдор не сумеет ему помешать. Это Злей послал записку – наверняка в министерстве магии очень удивятся, когда увидят Думбльдора.

– Но что можно...

Гермиона ахнула. Гарри и Рон резко обернулись.

За ними стоял Злей.

– Добрый день, – ровно сказал он.

Троица молча уставилась на него.

– Вам нечего делать в помещении в такую чудесную погоду. – На его лице появилась странная, кривая ухмылка.

– Нам надо... – начал Гарри, не имея ни малейшего представления о том, чего им, собственно, надо.

– Вам надо быть осторожней, – сказал Злей. – Если будете болтаться здесь без дела, люди могут подумать, будто вы опять что-то затеваете. А «Гриффиндору» нельзя больше потерять ни балла, верно?

Гарри вспыхнул. Они повернулись и двинулись к выходу, но Злей окликнул их:

– Имейте в виду, Поттер, еще одна ночная прогулка – и я лично прослежу за тем, чтобы вас исключили. Всего вам доброго. – И он направился в учительскую.

На крыльце Гарри повернулся к остальным.

– Я все придумал, – горячо зашептал он. – Кто-то должен следить за Злеем – ждать возле учительской и, если он выйдет, пойти за ним. Лучше пусть Гермиона.

– Почему я?

– Это же очевидно, – объяснил Рон. – Ты всегда можешь притвориться, будто ждешь профессора Флитвика. – И он запищал: – Ой, профессор Флитвик, я так волнуюсь, мне кажется, я неправильно ответила на вопрос 14б...

– Прекрати, – рассердилась Гермиона, но последить за Злеем согласилась.

– А мы будем дежурить у коридора на третьем этаже, – сказал Гарри Рону. – Пошли.

Но эта часть плана провалилась. Стоило им оказаться у двери Пушка, как появилась профессор Макгонаголл, вне себя от ярости.

– Считаете, вас обойти труднее, чем целую кучу заклинаний?! – взорвалась она. – Хватит заниматься ерундой! Если я кого-то из вас снова здесь увижу, сниму с «Гриффиндора» еще пятьдесят баллов! Да-да, Уизли, с моего собственного колледжа!

Гарри и Рон побрели в общую гостиную. Гарри только успел сказать:

– Ну, хотя бы Гермиона будет знать, где Злей, – как открылся портрет Толстой Тети и вошла Гермиона.

– Гарри, прости, – захныкала она. – Я ничего не могла поделать! Злей вышел и спросил, что мне надо, а я сказала, что жду Флитвика, и он привел Флитвика, и теперь я только от него вышла и не знаю, куда делся Злей.

– Ну что ж, вот и все, да? – потерянно сказал Гарри.

Друзья молча смотрели на него. Он был бледен, глаза лихорадочно блестели.

– Ночью я пойду туда сам – попробую украсть камень первым.

– Ты что, обалдел? – завопил Рон.

– Ни в коем случае! – закричала Гермиона. – Злей и Макгонаголл ясно сказали... Тебя исключат!

– НУ И ЧТО? – заорал Гарри. – Вы что, не понимаете? Если Злей добудет камень, Вольдеморт вернется! Вы не в курсе, каково было, когда он пытался захватить власть? Не будет «Хогварца», неоткуда будет исключать! Вольдеморт его сровняет с землей или превратит в институт черной магии. А вы про какие-то баллы! Или, по-вашему, за кубок Вольдеморт пощадит вас и ваших родных? Если я попадусь, не добуду камень – ну, значит, отправлюсь назад к Дурслеям и буду ждать, пока до меня доберется Вольдеморт... Просто умру чуть позже, чем планировалось... Потому что я никогда не перейду к силам зла! Сегодня ночью я иду в хранилище, говорите что хотите, вы меня не остановите! Вольдеморт, между прочим, убил моих родителей!

Его глаза сверкали.

– Ты прав, Гарри, – тихо произнесла Гермиона.

– Возьму плащ-невидимку, – сказал Гарри. – Как удачно, что мне его вернули.

– А мы под ним уместимся все втроем? – спросил Рон.

– В-втроем?

– Да ладно тебе – ты что думал, мы тебя одного отпустим?

– Разумеется, нет, – живо подтвердила Гермиона. – Как ты доберешься до камня без нас? Пойду учебники почитаю – вдруг найду что-то полезное...

– Но если мы попадемся, вас тоже исключат.

– Как знать, – мрачно произнесла Гермиона. – Флитвик сказал по секрету, что по его предмету у меня сто двенадцать процентов. После такого меня не осмелятся просто так выкинуть.

После ужина они сидели в общей гостиной как на иголках. Никто их не трогал; гриффиндорцам больше ведь не о чем было говорить с Гарри. И сегодня его это впервые не огорчало. Гермиона лихорадочно листала конспекты, надеясь случайно наткнуться на заклятие, которое как раз вскоре понадобится снять. Рон и Гарри едва ли обменялись парой слов – оба обдумывали то, что им предстоит.

Постепенно все разошлись спать, и гостиная опустела.

– Пора за плащом, – пробормотал Рон, когда из комнаты, потягиваясь и зевая, последним удалился Ли Джордан.

Гарри взбежал по лестнице в темную спальню. Достал плащ – и тут ему на глаза попалась флейта, подарок Огрида на Рождество. Гарри положил ее в карман, чтобы усыплять Пушка, – петь сам он был что-то не расположен. Он поспешил назад в гостиную.

– Давайте проверим, поместимся ли мы все под плащом, – а то если Филч увидит, что по коридору разгуливает нога...

– Что это вы тут делаете? – раздался голос из дальнего угла. Из-за кресла показался Невилл с жабой в руке – похоже, у Тревора случился очередной приступ свободолюбия.

– Ничего, Невилл, ничего, – сказал Гарри, торопливо пряча за спиной плащ.

Невилл вгляделся в их виноватые лица.

– Опять собрались наружу! – воскликнул он.

– Нет-нет-нет, – заверила Гермиона. – Ничего подобного. А почему ты не идешь спать, Невилл?

Гарри глянул на высокие часы у двери. Время терять нельзя: возможно, Злей уже убаюкивает Пушка.

– Вам нельзя выходить, – сказал Невилл, – вас опять поймают. И у «Гриффиндора» опять будут неприятности.

– Ты не понимаешь, – ответил Гарри. – Это очень важно.

Невилл, однако, был явно готов на все.

– Я вас не выпущу, – провозгласил он, подбегая к портрету. – Я... я... буду с вами драться!

– *Невилл*, – не выдержал Рон, – отойди от портрета и не будь идиотом...

– Не смей называть меня идиотом! – крикнул Невилл. – Я считаю, вам уже хватит нарушать правила! И вы сами говорили, что я должен отстаивать свое мнение!

– Да, но не перед *нами* же, – раздраженно ответил Рон. – Невилл, ты не понимаешь.

Он шагнул к Невиллу, и тот выронил Тревора, который немедленно скакнул в темноту.

– Ну давай, стукни меня! – Невилл поднял сжатые кулаки. – Я готов!

Гарри повернулся к Гермионе.

– *Сделай что-нибудь*, – взмолился он.

Гермиона выступила вперед.

– Невилл, – сказала она, – мне очень, очень жаль, что я так поступаю. – Она подняла волшебную палочку и направила ее на Невилла: – Петрификус Тоталус!

Руки Невилла словно пристегнулись к бокам. Ноги сощелкнулись вместе. Тело окостенело, он покачнулся на месте и жестко, как доска, грохнулся ниц.

Гермиона подбежала и перевернула его. Челюсти Невилла стиснулись, говорить он не мог – только в ужасе вращались глаза.

– Что ты с ним сделала? – прошептал Гарри.

– Это полный телобинт, – печально произнесла Гермиона. – Ох, Невилл, прости.

– Так надо, Невилл, некогда объяснять, – сказал Гарри.

– После поймешь. – Рон тоже перешагнул через одноклассника, и все трое накрылись плащом-невидимкой.

И все же оставить Невилла вот так, бревном на полу... Недоброе предзнаменование. Они дергались, и в тени каждой статуи им виделся Филч, а в каждом дуновении ветра – Дрюзг, что пикирует на них с высоты.

От подножия первой же лестницы они увидели наверху миссис Норрис – она лениво прохаживалась по площадке.

– Давай дадим ей пинка хоть разочек! – шепнул Рон на ухо Гарри, но тот лишь помотал головой. Когда они осторожно обогнули миссис Норрис, та обратила к ним глаза-фонари, но за Филчем не побежала.

Больше им никто не попался, пока они не дошли до лестницы на третий этаж. Над ступеньками болтался Дрюзг и кривил ковровую дорожку, чтобы все спотыкались.

– Кто тут? – вдруг спросил полтергейст, когда троица с ним поравнялась. Он сузил злобные черные глазки. – Хоть и не вижу, а знаю, что ты здесь. Ты упырька, привиденька? Или крыська-учениська? – Он взмыл повыше и закружил в воздухе, пристально вглядываясь туда, где стояли Гарри, Рон и Гермиона. – Позову-ка лучше Филча, позову, а то распóлзалось тут невидимое...

Гарри вдруг озарило.

– Дрюзг, – сипло прошептал он, – Кровавый Барон имеет основания сохранять инкогнито.

От испуга полтергейст чуть не рухнул на пол, но вовремя спохватился и завис в футе над ступеньками.

– Прошу прощения, ваше кровейшество, господин барон, – залебезил он. – Не признал, не признал... Не заметил, ясно, не заметил, вы ведь невидимы, – простите старому глупому Дрюзику глупую шутку, сэр.

– У меня здесь дело, Дрюзг, – прохрипел Гарри. – Так что сегодня держись отсюда подальше.

– Разумеется, сэр, конечно, сэр. – Дрюзг взвился выше. – Надеюсь, дело ваше выгорит, сэр, не смею больше беспокоить, сэр...

И полтергейст умчался.

– *Гениально*, Гарри! – шепнул Рон.

Через пару секунд они стояли перед коридором третьего этажа – и дверь туда была уже приоткрыта.

– Ну вот, – тихо сказал Гарри. – Злей обошел Пушка.

Увидев открытую дверь, они словно впервые осознали, что их ждет. Гарри под плащом повернулся к спутникам.

– Если хотите вернуться, я пойму, – сказал он. – Можете взять плащ, мне он больше не нужен.

– Не дури, – сказал Рон.

– Мы с тобой, – добавила Гермиона.

Гарри толкнул дверь. Она распахнулась со скрипом – и тут же раздалось низкое, глухое ворчание. Три носа усиленно принюхались, хотя пес никого не видел.

– Что это у него под ногами? – шепотом спросила Гермиона.

– Вроде арфа, – ответил Рон. – Злей оставил.

– Пес, видимо, просыпается, как только перестаешь играть, – сказал Гарри. – Ну что же, начнем...

Он поднес флейту Огрида к губам и подул. Эти звуки трудно было назвать мелодией, но после первой же ноты глаза у зверя стали слипаться. Гарри почти не переводил дыхания. Постепенно собака перестала рычать, зашаталась, лапы у нее подогнулись, и она свалилась набок в глубоком сне.

– Не забывай играть, – предупредил Рон.

Они осторожно выскользнули из-под плаща и подкрались к люку в полу. Чем ближе к трем гигантским спящим головам, тем сильней их обдавало горячим, зловонным собачьим дыханием.

– Кажется, люк мы откроем, – сказал Рон, заглядывая за спину псу. – Пойдешь первой, Гермиона?

– Нет!

– Ладно. – Рон стиснул зубы и осторожно перешагнул лапу. Затем наклонился и потянул за кольцо. Люк распахнулся.

– Что там? – тревожно спросила Гермиона.

– Ничего – все черное. И никакой лестницы, придется прыгать.

Гарри, усердно игравший на флейте, помахал Рону и указал на себя.

– Ты первым? Уверен? – спросил Рон. – Я не знаю, какая там глубина. Отдай тогда флейту Гермиопс, чтоб псина дрыхла.

Гарри отдал флейту. За секундную паузу пес успел заворочаться и заворчать, но снова глубоко заснул, едва Гермиона заиграла.

Гарри перебрался через собаку и заглянул в люк. Дна и впрямь не видать.

Гарри осторожно спустился, цепляясь за края, и повис на кончиках пальцев. Посмотрел на Рона и сказал:

– Если со мной что случится, не спускайтесь. Бегите в совяльню и шлите Хедвигу к Думбльдору, хорошо?

– Хорошо, – пообещал Рон.

– Тогда до скорой встречи, надеюсь.

Гарри разжал пальцы. И полетел вниз, вниз, вниз – в холодную сырую тьму. Наконец...

ПЛЮХ-Х. Со странным глухим хрустом он приземлился на что-то мягкое. Сел, пошарил вокруг – глаза еще не привыкли к темноте. Вроде какая-то травка.

– Порядок! – крикнул он окошечку света наверху размером с почтовую марку. – Здесь мягко, прыгайте!

Рон прыгнул – и тут же растянулся слева.

– Это что тут? – были его первые слова.

– Не знаю, растение какое-то. Наверное, специально, чтоб мягче падать. Давай, Гермиона!

Музыка вдалеке смолкла. Собака гавкнула, но Гермиона успела прыгнуть. Упала она справа.

– Тут, наверное, жуть как глубоко, – сказала она.

– Удачно тогда, что здесь эта зеленюшка, – отозвался Рон.

– *Удачно?* – взвизгнула Гермиона. – Да вы посмотрите на себя!

Она вскочила и стала прорываться к сырой стене. Прорываться – потому, что, едва она приземлилась, ползучие стебли начали опутывать ей лодыжки. А Гарри с Роном даже не заметили, что их ноги давно и крепко оплетены.

Гермионе удалось освободиться раньше, чем растение схватило ее как следует. Она в ужасе смотрела, как друзья отчаянно отдирают от себя лианы, – но чем больше они сражались, тем быстрее и крепче оплетало их растение.

– Не шевелитесь! – приказала Гермиона. – Я знаю, что это такое, – это Силки Дьявола!

– Вот радость-то – мы и познакомились. Можно умереть спокойно, – огрызнулся Рон, отшатываясь от лиан, нацелившихся на его горло.

– Тихо! Я пытаюсь вспомнить, как его убить, – сказала Гермиона.

– Тогда скорей, дышать уже нечем! – просипел Гарри, отдирая лианы от груди.

– Силки Дьявола, Силки Дьявола... Что говорила профессор Спарж? Любит темноту и влагу...

– Значит, зажги огонь! – еле выговорил Гарри.

– Да, конечно, но тут нет дров! – Гермиона ломала руки.

– ТЫ ЧЕГО, СОВСЕМ? – возопил Рон. – ВЕДЬМА ТЫ ИЛИ КТО?

– Ой, и точно! – обрадовалась Гермиона, стегнула палочкой, помахала, пробормотала что-то – и направила на растение струю того же ярко-синего пламени, каким подожгла Злея.

Лианы тотчас ослабили хватку и поползли прочь от огня и света. Корчась, извиваясь, Силки Дьявола постепенно отпускали Гарри и Рона, и те вскоре вздохнули свободно.

– Счастье, что ты внимательна на гербологии. – Вытирая пот со лба, Гарри привалился к стене рядом с Гермионой.

– Ага, – сказал Рон, – и счастье, что Гарри быстро соображает. А то «тут нет дров»! Ну, честное слово!

– Нам сюда. – Гарри показал на каменный тоннель. Другой дороги дальше и не было.

Кроме собственных шагов они слышали только, как на пол тихо сочится вода со стен. Тоннель уводил вниз, и Гарри вспомнился «Гринготтс». Колдовской банк охраняют драконы... Гарри похолодел: если им встретится дракон, при этом взрослый... Им и Норберта хватило выше крыши...

– Слышишь? – шепнул Рон.

Гарри прислушался. Откуда-то спереди неслись шелест и клацанье.

– Думаешь, призрак?

– Не знаю... Больше смахивает на шорох крыльев.

– Впереди светлей... и что-то движется.

За тоннелем открылся ярко освещенный зал. Под высоким сводчатым потолком порхали и мельтешили туда-сюда алмазно сверкающие птички. А в стене напротив была тяжелая дубовая дверь.

– Нападут, если пойдем через зал? – спросил Рон.

– Наверное, – ответил Гарри. – На вид не слишком опасные, но если стаей... Что ж, выбора нет... Я побежал.

Поглубже вдохнув и закрыв лицо руками, Гарри ринулся через зал. Он ждал, что в псго вот-вот вонзятся острые клювики и стальные коготки, но ничего такого не случилось. Он благополучно достиг двери, потянул за ручку, но дверь оказалась заперта.

Подбежали Рон и Гермиона. Они тянули и толкали дверь, но та не поддалась, даже когда Гермиона испробовала «Алохомору».

– Чего теперь? – поинтересовался Рон.

– Эти птички... они же здесь не для красоты... – сказала Гермиона.

Они стояли и смотрели, как птицы носятся у них над головой, сверкая... *Сверкая?*

– Это не птицы! – крикнул Гарри. – Это *ключи!* Ключи с крылышками, видите? А значит... – Он осмотрелся, пока его друзья разглядывали ключи. – Точно! Смотрите – метлы! Ключ нужно поймать!

– Но их же тут *сотни!*

Рон осмотрел замок.

– Нужен большой и старый, скорее всего – серебряный, как эта ручка.

Они схватили по метле, взмыли в воздух и с разгону врезались в самую сердцевину стаи. Но, сколько ни охотились, заколдованные ключи шныряли слишком быстро – не догонишь.

Но Гарри недаром стал самым молодым Ловчим столетия. Его взгляд выхватывал то, чего другие не замечали. С минуту покружив в вихре радужных перьев, он углядел массивный серебряный ключ с помятым крылом – помятым, будто недавно его уже ловили и совали в замочную скважину.

– Вот он! – крикнул Гарри остальным. – Вон тот, большой! Там... нет, там – с синими крыльями – на одном перья мятые.

Рон понесся за ключом, врезался в потолок и чуть не свалился с метлы.

– Окружайте его! – велел Гарри, не сводя глаз с помятого ключа. – Рон, заходи сверху! Гермиона, не пускай его вниз! А я ловлю. Ну – РАЗОМ!

Рон спикировал, Гермиона взмыла, ключ увернулся от обоих; Гарри кинулся за ним; ключ устремился к стене, Гарри подался вперед и с неприятным хрустом пригвоздил жертву. Рон и Гермиона радостно завопили на весь зал.

Они поспешно приземлились, Гарри побежал к двери, а ключ рвался у него из рук. Замок щелкнул, дверь открылась, и ключ тотчас упорхнул, невероятно растрепанный: беднягу помяли уже дважды.

– Готовы? – спросил Гарри, положив ладонь на ручку двери.

Друзья кивнули. Гарри открыл дверь.

В следующем зале стояла кромешная темнота. Но, когда они ступили внутрь, вспыхнул свет и им открылось поразительное зрелище.

Они стояли на краю огромной шахматной доски позади черных фигур – выше их ростом и вырезанных из черного камня. Напротив, на другом краю доски, башнями высились белые фигуры. Гарри, Рона и Гермиону передернуло: у белых фигур не было лиц.

– И что теперь? – прошептал Гарри.

– Ясно же, – ответил Рон. – Сыграть и перейти доску.

За белыми фигурами виднелась следующая дверь.

– Как? – растерянно пробормотала Гермиона.

– По-моему, – сказал Рон, – мы должны сами стать фигурами.

Он подошел и погладил черного коня. Тот мгновенно ожил, забил копытом. Рыцарь на коне склонил голову в шлеме и посмотрел на Рона.

– Чтобы перейти на ту сторону, мы должны... э-э... играть за вас?

Черный рыцарь кивнул. Рон обернулся к друзьям.

– Тут надо поразмыслить... – проговорил он. – Мы, наверное, заменяем три черные фигуры...

Пока Рон размышлял, Гарри с Гермионой молча ждали. Наконец Рон сказал:

– Только не обижайтесь, но вы оба в шахматах не очень...

– Мы не обижаемся, – поспешно ответил Гарри. – Ты, главное, скажи, что делать.

– Гарри, ты – вместо слона, Гермиона – рядом, на место ладьи.

– А ты?

– А я буду конем, – решил Рон.

Шахматные фигуры, судя по всему, их слышали: черные конь, ладья и слон тотчас развернулись и покинули доску, оставив три пустых поля. Гарри, Рон и Гермиона встали вместо них.

– Начинают белые. – Рон вгляделся в ряды противника. – Точно... смотрите...

Белая пешка шагнула на две клетки ближе.

Рон начал командовать черными. Все молча повиновались. У Гарри дрожали колени. Что, если они проиграют?

– Гарри, на четыре клетки вправо по диагонали.

Когда первый раз съели их коня, это было ужасно. Белый ферзь шмякнул черного рыцаря об доску и отволок прочь. Бедняга остался валяться там ничком.

– А куда деваться? – оправдывался Рон; потеря и его потрясла. – Зато теперь ты, Гермиона, можешь свободно брать вон того слона, давай.

Белые мстили беспощадно. Вскоре у стены выросла груда бездыханных черных фигур. Дважды Рон чуть не пропустил момент, когда в опасности оказывались Гарри и Гермиона. Сам он метался по доске с быстротой молнии и брал при этом почти столько же белых фигур, сколько те взяли черных.

– Почти дошли, – наконец пробормотал он. – Так... Дайте подумать... дайте подумать...

Белый ферзь обратил к нему пустое лицо.

– Да... – тихо сказал Рон, – иначе не выйдет... Я должен сдаться.

– НЕТ! – крикнули Гарри и Гермиона.

– Это шахматы! – осадил их Рон. – Нужно чем-то жертвовать! Если я сделаю ход, он меня съест – зато ты, Гарри, поставишь шах и мат королю!

– Но...

– Ты хочешь остановить Злея или нет?

– Рон...

– Слушай, пока будем пререкаться, он заберет камень!

Делать было нечего.

– Готовы? – спросил Рон, бледный и решительный. – Я пошел. И не болтайтесь тут, когда выиграете!

Он шагнул, и белый ферзь бросился на него. Стукнул Рона по голове каменной рукой, и тот упал как подкошенный. Гермиона закричала, но не сошла с клетки – и белый ферзь оттащил Рона в сторону. Похоже, тот потерял сознание.

Гарри трясло – но он перешел на три клетки влево.

Белый король стянул корону и бросил ее к ногам Гарри. Черные победили. Шахматные фигуры поклонились и расступились, освобождая дорогу к двери. Бросив последний отчаянный взгляд на Рона, Гарри и Гермиона кинулись в дверь – и очутились в следующем коридоре.

– А что, если он?..

– С ним все будет хорошо, – сказал Гарри, стараясь убедить и себя. – Как думаешь, что дальше?

– Заклятие профессора Спарж было – Силки Дьявола; ключи – это, видимо, Флитвик; Макгонаголл оживила шахматные фигуры; остаются Страунс и Злей...

Они подошли к новой двери.

– Идем? прошептал Гарри.

– Вперед.

Гарри толкнул дверь.

В ноздри ударила такая омерзительная вонь, что оба срочно прикрыли носы рукавами. Глаза заслезились, но и сквозь слезы они разглядели лежавшего на спине тролля – гораздо крупнее того, с которым им довелось сразиться. Тролль лежал без чувств с кровавой шишкой на голове.

– Повезло, что не пришлось с ним драться, – прошептал Гарри, перешагивая массивную ногу. – Пошли скорей, дышать невозможно.

Он отворил следующую дверь – и оба насилу заставили себя взглянуть, что же их там ждет. Оказалось – ничего страшного, лишь столик, а на нем семь разных пузырьков.

– Злеева работа, – сказал Гарри. – Что надо делать?

Они переступили порог, и за их спинами в дверном проеме тотчас всколыхнулось пламя. Не простое – пурпурное. В тот же миг дальний дверной проем заполыхал черным пламенем. Они очутились в ловушке.

– Смотри!

Рядом с пузырьками лежал свиток. Через плечо Гермионы Гарри прочитал:

Перед вами лежит опасность,
безопасность лежит позади,
Двое окажут вам помощь,
а которые – надо найти,
Одна из нашей семерки
разрешит продвигаться вперед,
Зато другая, как выпьете,
обратно вас отведет,
Крапивным соком налиты двое из нас,
говорят,
Трое других – убийцы: поджидают,
построившись в ряд.
Выбирайте, коль не хотите
навеки в тюрьме застрять,
Чтобы помочь, я должен
четыре подсказки вам дать:

Во-первых, насколько бы хитро от вас
ни прятался яд,
Его неизменно слева от сока отыщет взгляд;
Второе: хотя различны стоящие по краям,
Но двиньтесь вперед –
и оба друзьями не будут вам;
В-третьих, размера все разного,
всякий вам скажет суд,
Но ни гигант, ни карлик
смерти в себе не несут;
Еще: близнецы по вкусу,
хотя на вид не похожи,
Второй и слева, и справа.
Надеюсь, вам это поможет.

Гермиона шумно вздохнула, и Гарри, к своему изумлению, увидел, что она улыбается, хотя ему было не до улыбок.

– *Великолепно*, – восхитилась она. – Это не магия – это логика. Загадка. У многих великих колдунов нет ни унции логики, они бы застряли здесь навсегда.

– Так ведь и мы застрянем, нет?

– Разумеется, нет, – сказала Гермиона. – Все нужные сведения здесь, в свитке. Семь пузырьков: в трех – яд, в двух – сок; один проведет через черный огонь, один пропустит назад сквозь пурпурное пламя.

– И как мы узнаем, где что?

– Дай подумать.

Гермиона несколько раз перечитала стихи. Походила вдоль стола, бормоча что-то себе под нос и тыча пальцем. Затем хлопнула в ладоши.

– Поняла, – объявила она. – Самая маленькая бутылочка проведет нас к камню – сквозь черное пламя.

Гарри оглядел пузырек.

– Здесь еле хватит на одного, – сказал он. – Тут не больше глотка. – Они переглянулись. – А какой поможет вернуться сквозь пурпурное пламя?

Гермиона показала на круглый пузырек – крайний справа.

– Пей, – велел Гарри. – Нет, послушай – вернись и забери Рона. Возьмете метлы из той комнаты, где ключи, – на них вылетите из люка, Пушок не успеет вас сцапать, а дальше прямиком в совяльню – и отправьте Хедвигу к Думбльдору, он нам нужен. Я, может, и сумею ненадолго задержать Злея, но вообще-то я ему не соперник.

– Но, Гарри... А если с ним Сам-Знаешь-Кто?..

– Ну... Однажды мне повезло. – Гарри показал на шрам. – Может, и еще повезет.

Губы Гермионы задрожали, она вдруг бросилась к Гарри и обняла его за шею.

– *Гермиона!*

– Гарри, ты великий колдун!

– С тобой не сравниться, – смущенно пробормотал Гарри, когда она его наконец отпустила.

– Я – что! – воскликнула Гермиона. – Книжки! И знания! Есть вещи поважнее – верность, и отвага, и... Ох, Гарри, пожалуйста, *осторожней!*

– Пей первая, – сказал Гарри. – Ты точно уверена, что есть что, да?

– Абсолютно, – ответила Гермиона, от души глотнула из круглого пузырька и содрогнулась.

– Не яд? – встревожился Гарри.

– Нет, но как лед.

– Иди быстрей, пока действует.

– Удачи... осторожней...

– ИДИ УЖЕ!

Гермиона вошла прямо в пурпурный огонь.

Гарри глубоко вдохнул и взял самый маленький пузырек. Повернулся к черным языкам пламени.

– Ну, вот и я, – сказал он и залпом осушил склянку.

Тело и впрямь будто заледенело. Гарри поставил пузырек и, собравшись с духом, шагнул. Он видел, как огонь лижет тело, но ничего не чувствовал – и какое-то мгновение не видел ничего, кроме этого огня, – а затем оказался на другой стороне, в последнем зале.

Там уже кто-то был – но не Злей. И даже не Вольдеморт.

Глава семнадцатая

Человек с двумя лицами

Страунс.

– Вы! – поразился Гарри.

Страунс улыбнулся. И лицо его теперь совершенно не дергалось.

– Я, – спокойно ответил он. – Я все гадал, встретимся ли мы здесь, Поттер.

– Но я думал... Злей...

– Злотеус? – захохотал Страунс, и не как обычно – нервно дребезжа, а резко, холодно, зло. – Что и говорить, он прекрасно вписывается в образ! Как кстати он кружил надо мной – этакая большая и страшная летучая мышь. Кто рядом с ним заподозрит н-несчастного, б-бедного з-заику п-п-профессора С-Страунса?

Гарри не верил своим ушам. Это неправда, быть такого не может...

– Но Злей пытался меня убить!

– Нет-нет-нет. Убить тебя хотел я. Просто твоя дорогая подруга мисс Грейнджер так торопилась поджечь Злея, что случайно меня толкнула и нарушила зрительный контакт. Еще пара секунд – и я бы скинул тебя с метлы. Получилось бы и раньше, не бормочи Злей мне под руку свои контрзаклятия. Он тебя, видите ли, спасал.

– *Спасал?*

– Ну, разумеется, – равнодушно подтвердил Страунс. – Зачем, по-твоему, он потом взялся судить матч? Чтобы следить за мной. Смешно, в самом деле... Мог бы не трудиться. При Думбльдоре я бессилен... Остальные учителя сочли, что Злей хотел помешать гриффиндорцам выиграть... репутация у него не ахти... А главное – какая зряшная трата времени и сил! Все равно я убью тебя сейчас.

Страунс щелкнул пальцами. Прямо из воздуха соткались веревки и туго обвились вокруг Гарри.

– Такие любопытные долго не живут. Шныряет себе по школе в Хэллоуин! Так ты и меня мог увидеть, когда я ходил разведать, как охраняется камень.

– Это *вы* впустили тролля?

– Ну еще бы. По троллям я спец: видал, что я сделал с тем, на входе? К несчастью, пока все без толку гонялись за троллем, Злей – а он уже сильно подозревал меня – отправился прямиком на третий этаж, мне наперерез... И что в итоге? Мало того что тролль не убил тебя, так еще и это трехглавое отродье не сумело оттяпать ногу Злею как полагается... А сейчас сиди тихо, Поттер. Мне нужно изучить это интересное зеркальце.

Лишь теперь Гарри понял, что стояло за спиной Страунса. Зеркало Джедан.

– Зеркало – ключ к камню, – бормотал Страунс, обстукивая раму. – Типичные штучки Думбльдора... Загадочки... Но он в Лондоне... А когда вернется, я буду уже далеко...

Гарри снова заговорил – лишь бы Страунс отвлекся от зеркала.

– Я видел вас со Злеем в лесу! – выпалил он.

– Ну да, – лениво кивнул Страунс, скрываясь за зеркалом. – Он уже от меня не отставал, все допытывался, насколько далеко я зашел. С самого начала меня подозревал. Пробовал запугать, но куда ему! Со мной лорд Вольдеморт...

Страунс вышел из-за зеркала и жадно в него уставился.

– Я вижу камень... я вручаю его моему господину... но где же камень-то?

Гарри выпутывался из веревок, но безуспешно. Любой ценой необходимо отвлечь Страунса от зеркала.

– Мне всегда казалось, что Злей меня терпеть не может.

– Да, – как бы между прочим подтвердил Страунс. – Еще как. Они с твоим отцом вместе учились в «Хогварце», не знал? На дух друг друга не выносили. Но *убивать* тебя? Нет.

– Я слышал, как вы плакали несколько дней назад, – мне показалось, Злей вам угрожал...

Впервые лицо Страунса дрогнуло от страха.

– Иногда, – сказал он, – мне трудно выполнять повеления моего господина... Он великий чародей, а я так бесконечно слаб...

– Что, господин был с вами в классе? – изумился Гарри.

– Он всегда со мной, – тихо ответил Страунс. – Я встретился с ним, странствуя по миру. Как глуп я был тогда, как молод, как смешны были мои представления о добре и зле... Лорд Вольдеморт объяснил, сколь они нелепы. Нет ни добра, ни зла – есть только власть и те, кто слаб и ее недостоин... С тех пор я служу ему верой и правдой, хотя много раз его подводил. И за это ему приходилось строго меня наказывать. – Страунс содрогнулся. – Мой господин нелегко прощает ошибки. Когда я не сумел украсть камень из «Гринготтса», хозяин был очень недоволен. Наказал... и решил следить за мною пристальнее...

Голос Страунса стих. Гарри вспомнил Диагон-аллею – какой он дурак! Видел же Страунса в тот день, даже здоровался с ним за руку в «Дырявом котле»!

Страунс тихо ругнулся.

– Не понимаю... Может, камень – *внутри* зеркала? Разбить его, что ли?

Мысли Гарри летели, опережая друг друга.

«Чего я сейчас хочу больше всего на свете? – думал он. – Найти камень раньше Страунса. Значит, если я посмотрю в зеркало – увижу, как я его нахожу, то есть увижу, где он спрятан! Как посмотреть в зеркало, чтобы Страунс не догадался?»

Он попробовал незаметно передвинуться левее, ближе к зеркалу, однако ноги были слишком крепко стянуты веревками. Гарри оступился и упал. Страунс и головы не повернул – он разговаривал сам с собой:

– Что же делает это проклятое зеркало? Как оно действует? Помогите мне, господин!

К ужасу Гарри, ответил голос, исходивший, казалось, из нутра Страунса:

– Мальчишка... Мальчишка...

Страунс резко повернулся к Гарри:

– Так, Поттер, – сюда.

Он хлопнул в ладоши, и веревки упали. Гарри медленно поднялся.

– Сюда, – повторил Страунс. – Посмотри в зеркало и скажи, что видишь.

Гарри пошел к нему.

«Надо соврать, – в отчаянии подумал он. – Посмотреть в зеркало и придумать, что вижу, вот и все».

Страунс шагнул ближе. От его тюрбана очень странно пахло. Гарри зажмурился, встал перед зеркалом и снова открыл глаза.

Сначала он увидел только свое отражение, бледное и испуганное. Но мгновение спустя оно улыбнулось. Запустило руку в карман и вытащило кроваво-красный камень. Затем подмигнуло и спрятало камень обратно в карман – и в тот же миг в настоящий карман Гарри упало что-то тяжелое. Как-то – невероятно! – *камень оказался у него.*

– Ну? – нетерпеливо спросил Страунс. – Что ты видишь?

Гарри собрал в кулак всю свою храбрость.

– Я пожимаю руку Думбльдору, – сочинил он. – Я... выиграл «Гриффиндору» кубок школы.

Страунс снова ругнулся.

– Пошел отсюда, – рявкнул он.

Гарри отошел от зеркала, ногой ощущая тяжесть камня. Ну что, попробовать сбежать?

Однако он не успел сделать и пяти шагов, как опять раздался пронзительный голос, хотя Страунс даже не шевелил губами:

– Он лжет... он лжет...

– Поттер, вернись! – закричал Страунс. – Правду! Что ты видел?

Снова заговорил пронзительный голос:

– Дай мне с ним поговорить... лицом к лицу...

– Господин, вы недостаточно сильны!

– Для этого... мне сил хватит...

Гарри прирос к месту, точно снова попал в Силки Дьявола. Он был не в силах шевельнуться. Окаменев, он смотрел, как Страунс разворачивает тюрбан. Что происходит? Тюрбан упал. Без него голова Страунса казалась до нелепого крошечной. Затем профессор медленно повернулся к мальчику спиной.

Гарри и хотел бы закричать, но не мог. С затылка смотрело лицо, и Гарри в жизни не видал лиц ужаснее. Белое как мел, с горящими красными глазами и змеиными прорезями ноздрей.

– Гарри Поттер... – проговорило оно.

Гарри хотел было попятиться, однако ноги не слушались.

– Видишь, во что я превратился? – спросило лицо. – Тень, призрак... Населяю чужое тело... Впрочем, всегда найдутся те, кто готов впустить меня в свою душу, в свой разум... За последние недели кровь единорога укрепила мои силы... В лесу ты видел, как верный Страунс пил ее за меня... А теперь, с Эликсиром Жизни, я опять создам себе тело... Ну что... не отдашь ли камень, который прячешь в кармане?

Знает! Ноги Гарри вдруг ожили. Он отшатнулся.

– Не валяй дурака, – злобно скривилось лицо. – Лучше спасай свою жизнь, иди ко мне... Не то будет как с твоими родителями... Они умирали, моля о пощаде...

– ВРЕШЬ! – вдруг заорал Гарри.

Страунс надвигался спиной, чтобы Вольдеморт видел Гарри. Злобное лицо ухмылялось.

– Как трогательно... – шелестело оно. – Я всегда ценил храбрость... Да, юноша, твои родители были храбры... Сначала я убил твоего отца, и он сражался отчаянно... Но твоей матери вовсе не нужно было умирать... Однако она защищала тебя... Отдай камень, если не хочешь, чтобы смерть ее оказалась напрасной.

– НИ ЗА ЧТО!

Гарри прыгнул к полыхающей двери, но Вольдеморт завопил:

– Держи его! – и рука Страунса сжала Гарри запястье.

Острая боль пронзила шрам на лбу; казалось, голова сейчас расколется пополам. Гарри закричал, изо всех сил отбиваясь, – и, как ни странно, вырвался. Головная боль ослабла – он заозирался, не понимая, куда делся Страунс. Тот корчился от боли: пальцы его стремительно покрывались волдырями ожогов.

– Хватай его! ХВАТАЙ! – снова заскрежетал Вольдеморт, и Страунс бросился на Гарри, сбил с ног и упал сверху, сдавив ему шею ладонями.

От боли во лбу Гарри почти ослеп, но и Страунс выл в агонии:

– Господин, я не могу его удержать – руки... мои руки!

Прижимая Гарри к земле коленями, Страунс отнял руки от горла и потрясенно уставился на свои ладони – их обожгло до мяса.

– Тогда убей его, болван, и покончим с этим! – завизжал Вольдеморт.

Страунс поднял руку, чтобы произнести смертное проклятие, но Гарри инстинктивно схватился за его лицо...

– А-А-А-А-А-А!

Страунс скатился на пол. Лицо его пошло волдырями. Страунс не мог коснуться кожи Гарри – боль невыносима, а значит, единственный шанс спастись – не отпускать Страунса: боль не даст ему произнести заклятие.

Гарри вскочил, из последних сил вцепился в руку Страунса и повис. Тот завопил и стал вырываться. Головная боль у Гарри нарастала, он уже ничего не видел – только слышал ужасающие крики Страунса и визг

Вольдеморта: «УБЕЙ ЕГО! УБЕЙ!» – и еще какие-то голоса – наверное, только у него в голове – плакали: «Гарри! Гарри!»

Он почувствовал, как рука Страунса вырывается из его хватки, понял, что все пропало, и провалился в черноту, вниз... вниз... вниз...

Что-то золотое сверкнуло над ним. Проныра! Он хотел схватить мяч, но руки слишком отяжелели.

Он моргнул. Никакой это не Проныра. Это очки. Странно.

Он снова моргнул. Перед ним всплыло улыбающееся лицо Альбуса Думбльдора.

– Здравствуй, Гарри, – сказал Думбльдор.

Гарри уставился на него. И вдруг вспомнил:

– Сэр! Камень! Это Страунс! Камень у него! Скорее, сэр...

– Тише, мальчик, ты немного отстал от жизни, – сказал Думбльдор. – Камня у Страунса нет.

– А у кого же он? Сэр, я...

– Гарри, спокойней, прошу тебя, не то мадам Помфри меня отсюда выгонит.

Гарри сглотнул и осмотрелся. Он, оказывается, в лазарете. Лежит в кровати под белыми простынями, а на тумбочке – гора сладостей: где-то полкондитерской, не меньше.

– Подарки от друзей и почитателей, – широко улыбнулся Думбльдор. – То, что произошло между тобой и профессором Страунсом в подземелье, – строжайший секрет, и потому, разумеется, вся школа уже в курсе. Твои друзья, господа Фред и Джордж Уизли, хотели прислать крышку от унитаза – вне всякого сомнения, рассчитывали тебя позабавить. Однако мадам Помфри сочла презент не вполне гигиеничным и конфисковала.

– Сколько я уже здесь?

– Три дня. Мистер Рональд Уизли и мисс Грейнджер будут рады узнать, что ты пришел в себя. Они очень беспокоились.

– Но, сэр, камень...

– Вижу, тебя не так просто сбить. Что ж. Камень. Профессору Страунсу не удалось его у тебя отобрать. Я прибыл вовремя и помешал, хотя, должен сказать, ты и сам неплохо справлялся.

– Вы там были? Вы получили сову Гермионы?

– Должно быть, мы разминулись в воздухе. Едва добравшись до Лондона, я понял, что должен быть там, откуда только что прибыл. И как раз успел стащить с тебя Страунса...

– Так это были *вы*.

– Я боялся, что опоздал.

– Почти что. Я бы еще недолго продержался...

– Не о камне речь, мой мальчик, а о тебе... Эта схватка чуть было тебя не прикончила. На один ужасный миг я решил, что ты погиб. А камень – что... Он уничтожен.

– Уничтожен? – растерялся Гарри. – Но как же ваш друг – Николя Фламель?..

– А, ты знаешь про Николя? – просиял Думбльдор. – *Во всем* разобрался, не так ли? Что ж, мы с Николя побеседовали и решили, что оно и к лучшему.

– Но ведь теперь он и его жена умрут?

– Им хватит Эликсира, чтобы привести в порядок дела, а затем – да, они умрут. – Думбльдор улыбнулся, прочтя недоумение в лице Гарри. – Ты молод и, конечно, не поверишь, но для Николя и Перенеллы смерть придет как сон после долгого, *очень* долгого дня. В конце концов, для дисциплинированного сознания *что* есть смерть, как не новое замечательное приключение? А камень этот не так уж и хорош. Вволю денег и жить сколько захочешь – этого попросил бы любой человек. Люди имеют свойство просить того, что для них всего губительнее, – вот их беда.

Гарри лежал, потеряв дар речи. Думбльдор помычал себе под нос и улыбнулся в потолок.

– Сэр? – сказал Гарри. – Я вот подумал... Даже если камня больше нет, Воль... то есть Сами-Знаете-Кто...

– Называй его Вольдеморт, Гарри. Всегда называй вещи своими именами. Страх перед именем лишь усугубляет страх перед обладателем имени.

– Да, сэр. В общем, Вольдеморт ведь снова попытается вернуться? Он же никуда не делся?

– Нет, Гарри, не делся. Он где-то есть и, наверное, подыскивает себе новое тело... Он жив не по-настоящему, а значит, и убить его нельзя. Он бросил Страунса умирать; он не знает жалости ни к врагам, ни к друзьям. Тем не менее, Гарри, хотя ты всего лишь отсрочил его возвращение, быть может, в следующий раз найдется кто-нибудь другой, готовый к безнадежной битве, – и если Вольдеморту раз за разом давать отпор, возможно, он вообще не вернется к власти.

Гарри кивнул, но от этого заболела голова. Он сказал:

– Сэр, я бы хотел спросить еще... только я хочу знать правду...

– Правду. – Думбльдор глубоко вздохнул. – Правда – штука прекрасная и опасная, с ней надлежит обращаться с величайшей осторожностью. Однако я отвечу – если только не найду поистине веских оснований не отвечать, и в таком случае покорнейше прошу меня извинить. Лгать, разумеется, я не стану.

– В общем... Вольдеморт сказал, что ему пришлось убить мою маму, потому что она защищала меня. Но зачем ему было убивать *меня?*

Думбльдор вздохнул еще глубже.

– Увы, первый же твой вопрос останется без ответа. Не сегодня. Не сейчас. Когда-нибудь ты узнаешь... а пока оставь эти мысли, Гарри. Когда ты станешь старше... Я знаю, тебе неприятно это слышать... Но ты все узнаешь, когда будешь готов.

Гарри понял, что спорить бесполезно.

– А почему Страунс не мог до меня дотронуться?

– Твоя мама погибла, спасая тебя. А любви Вольдеморт не понимает. Он не осознает, что любовь такой силы оставляет след. Не шрам, не зримую печать... но тот, кто любит так сильно, даже после смерти защищает тебя. Любовь твоей матери живет в тебе. И поэтому Страунс, полный ненависти, зависти, жажды власти, деливший душу с Вольдемортом, не мог к тебе прикоснуться. Ты отмечен прекрасным – ему было мучительно касаться такого.

Думбльдор внезапно заинтересовался птичкой на подоконнике, и Гарри успел промокнуть глаза простыней. Когда голос вернулся к нему, он спросил:

– А плащ-невидимка? Вы не знаете, кто мне его прислал?

– А, плащ... Так вышло, что твой отец оставил его у меня, – я подумал, тебе понравится. – Глаза Думбльдора заискрились. – Вещица полезная... В свое время твой папенька с его помощью таскал с кухни еду.

– И вот еще что...

– Валяй.

– Страунс сказал, что Злей...

– *Профессор* Злей, Гарри.

– Ну да... Страунс сказал, что он ненавидит меня, потому что ненавидел моего отца. Это правда?

– Пожалуй, они и впрямь друг друга недолюбливали. Примерно как вы с мистером Малфоем. Кроме того, твой отец совершил нечто такое, чего Злей так и не смог ему простить.

– Что?

– Он спас Злею жизнь.

– *Что?*

– Да-да... – мечтательно подтвердил Думбльдор. – Забавно, как устроены люди, правда? Профессор Злей не в силах вынести, что он в долгу перед твоим отцом... Мне представляется, он так яростно защищал тебя весь год, только чтобы отдать дань Джеймсу и снова с полным правом его ненавидеть...

Гарри попытался вникнуть, но кровь застучала в голове, и пришлось бросить.

– И, сэр, еще одна вещь...

– Всего одна?

– Как я достал камень из зеркала?

– Ага, вот хорошо, что спросил. Это моя самая гениальная придумка, самая-самая. Видишь ли, получить камень мог только тот, кто хотел его *найти* – найти, но не использовать. Иначе он увидел бы, как добывает золото или пьет Эликсир Жизни. Иногда мой мозг меня самого удивляет... А теперь довольно вопросов. Лучше взгляни-ка на эти сладости. О! Всевкусные орешки Берти Ботта! В юности мне не повезло, попался орешек со вкусом рвоты, и это, боюсь, изрядно меня от них отвратило. Но, пожалуй, с ириской я не рискую? – Он улыбнулся и закинул в рот золотисто-коричневый орешек. Поперхнулся и сказал: – Увы! Ушная сера!

Фельдшерица мадам Помфри была мила, но строга.

– Всего пять минуточек, – умолял Гарри.

– Ни в коем случае.

– Вы же впустили профессора Думбльдора...

– Ну да, впустила, но ведь он директор, совсем другое дело. Тебе нужен *отдых*.

– Да я отдыхаю, смотрите, лежу ровненько и все такое. Ну, мадам Помфри...

– Ладно, ладно, – сдалась она, – но только *пять* минут.

И впустила Рона и Гермиону.

– *Гарри!*

Гермиона готова была снова кинуться обниматься, но сдержалась – и хорошо, потому что голова у Гарри еще раскалывалась.

– Гарри, мы боялись, что ты... Думбльдор так волновался...

– Вся школа только об этом и говорит, – сказал Рон. – А что было-то?

Редко случается, что реальные события – еще загадочнее и увлекательнее безумных слухов. Гарри рассказал друзьям обо всем: о Страунсе; о зеркале; о камне и Вольдеморте. Рон с Гермионой, идеальные слушатели, ахали, когда требовалось, а там, где Страунс развернул тюрбан, Гермиона завизжала.

– Значит, камня больше нет? – спросил Рон в конце. – И Фламель просто *умрет?*

– Я спросил у Думбльдора, но он говорит... как это? «...для дисциплинированного сознания *что* есть смерть, как не новое замечательное приключение?»

– Всегда говорил, что он – того. – Рона явно радовало, что его герой полоумный.

– А с вами что было? – спросил Гарри.

– Я благополучно вернулась, – сказала Гермиона, – привела Рона в чувство – отнюдь не сразу, – и мы помчались в совяльню, чтобы послать за Думбльдором, но тут наткнулись на него в вестибюле. Он уже все знал, спросил только: «Гарри пошел за ним, да?» – и скорей побежал на третий этаж.

– Как думаешь, он понимал, что ты так поступишь? – спросил Рон. – И потому послал тебе плащ-невидимку и прочее?

– Ну *знаешь*, – взорвалась Гермиона, – если понимал... то есть... это же ужас! Ты ведь мог погибнуть.

– Да нет, не ужас, – задумчиво проговорил Гарри. – Забавный он человек, Думбльдор. Мне кажется, он хотел дать мне шанс. По-моему, он более или менее в курсе всего, что здесь происходит, понимаете? Видимо, он догадывался, что мы затеваем, но не стал мешать, просто научил кое-чему полезному. Вряд ли он случайно показал мне, как действует зеркало. Как будто считал, что я вправе встретиться с Вольдемортом лицом к лицу, если смогу...

– Ну точно ку-ку, – гордо произнес Рон. – Слушай, ты уж к завтрашнему пиру выписывайся. Кубок, конечно, выиграли слизеринцы, у них баллов больше всего – тебя ведь не было на последнем матче, – а там «Вранзор» нас размазал. Зато еда будет вкусная.

Тут в палату ворвалась мадам Помфри.

– Вы уже почти четверть часа просидели, все, уходите, УХОДИТЕ! – решительно заявила она.

Гарри как следует выспался и к утру почти пришел в себя.

– Я хочу пойти на пир, – сказал он мадам Помфри, когда та поправляла на столике горку конфетных коробок. – Можно?

– Профессор Думбльдор считает, что надо тебе разрешить, – ответила она, поджав губы, словно, по ее мнению, профессор Думбльдор даже не представляет, как опасны бывают пиры. – И у тебя еще один посетитель.

– Здорово, – обрадовался Гарри. – Кто?

В дверь бочком протиснулся Огрид. Как всегда в помещении, выглядел он недопустимо огромным. Он сел у постели, глянул на Гарри и разрыдался.

– Это... все... я... разрази меня гром... виноват! – всхлипывал он, закрываясь ладонями. – Сам наболтал гаду, как обойти Пушка! Сам! Он только этого не знал – а я возьми да расскажи! Ты ж мог помереть! За какое-то драконово яйцо! Больше ни рюмки! Ни в жизнь! Меня бы изгнать надо – и в Муглядию!

– Огрид! – воскликнул Гарри. Зрелище его ошеломило – лесник сотрясался от рыданий, и огромные слезы стекали ему в бороду. – Огрид, он бы все равно узнал, это же Вольдеморт! Он бы выяснил, даже если б ты не сказал.

– Ты мог помереть! – рыдал Огрид. – И... имя не говори...

– ВОЛЬДЕМОРТ! – заорал Гарри, и Огрид от ужаса прекратил завывать. – Я с ним познакомился лично и теперь могу называть по имени. Пожалуйста, успокойся. Мы спасли камень, его больше нет, Вольдеморт его не украдет. Съешь лучше шокогадушку, тут их куча...

Огрид вытер нос ладонью и сказал:

– Кстати, чуть не запамятовал. Подарочек у меня.

– Не бутерброд с горностаем, надеюсь? – встревожился Гарри, и Огрид слабо хихикнул:

– Не-а. Думбльдор дал мне отгул на вчера, чтоб я доделал. А должен был меня уволить... Ну, короче, вот.

И он протянул книжку в красивом кожаном переплете. Гарри с интересом открыл. На каждой странице ему с колдовских фотографий улыбались и посылали воздушные поцелуи мама и папа.

– Разослал сов по школьным приятелям твоих предков, выпросил фотки, у кого что есть... У тебя-то ж вовсе ни одной... Ну, нравится?

Гарри не смог и слова вымолвить, но Огрид и так все понял.

Вечером Гарри спустился на праздник один. Его задержала мадам Помфри: она суетилась, взялась еще разок проверять, в порядке ли ее больной, и Большой зал был уже полон. Его оформили в зеленых и серебряных тонах – цвета «Слизерина»: колледж выиграл кубок школы седьмой год подряд. Стену за Высоким столом украшал огромный флаг с изображением слизеринской змеи.

Едва Гарри вошел, все на миг примолкли, а потом громко загомонили. Он проскользнул между Роном и Гермионой за гриффиндорский стол, стараясь не замечать, что все кругом вскакивают и пялятся на него.

К счастью, почти сразу же появился Думбльдор. Гул замер.

– Вот и еще один год прошел! – бодро начал директор. – Но вам, прежде чем вонзить зубы в восхитительные лакомства, придется выслушать стариковские бредни. Что это был за год! Надеюсь, ваши головы чем-нибудь да наполнились... Впереди целое лето, успеете все основательно повытрясти к сентябрю... Итак, насколько я понимаю, пора кому-то вручить школьный кубок. Баллы распределились так: на четвертом месте – «Гриффиндор», триста двенадцать баллов; на третьем – «Хуффльпуфф», триста пятьдесят два; «Вранзор» набрал четыреста двадцать шесть и «Слизерин» – четыреста семьдесят два балла.

Весь слизеринский стол заорал и затопал. Гарри видел, как Драко Малфой лупит кубком по столу. Тошнотворное зрелище.

– Да-да, молодцы, «Слизерин», – похвалил Думбльдор. – Однако необходимо принять во внимание последние события.

Зал притих. Улыбки на лицах слизеринцев поувяли.

– Кхем, – сказал Думбльдор. – У меня тут напоследок образовались еще баллы. Дайте подумать. Так... Прежде всего – мистеру Рональду Уизли...

Рон побагровел и стал похож на пережарившуюся на пляже редиску.

– ...за лучшую за многие годы шахматную партию, сыгранную в стенах этой школы, я начисляю «Гриффиндору» пятьдесят баллов.

От воплей гриффиндорцев едва не взлетел зачарованный потолок, а звезды на нем замигали. Слышно было, как Перси объясняет другим старостам:

– Это мой брат, между прочим! Младший! Прошел через шахматную доску Макгонаголл!

Наконец волнение улеглось.

– Во-вторых – мисс Гермионе Грейнджер... за победу холодной логики над жарким пламенем я начисляю «Гриффиндору» еще пятьдесят баллов.

Гермиона закрылась локтями; Гарри заподозрил, что она разрыдалась. Гриффиндорцы чуть не лопнули от счастья – они поднялись на сто баллов!

– В-третьих... мистер Гарри Поттер, – продолжил Думбльдор. Повисла мертвая тишина. – Его выдающееся мужество и хладнокровие приносят «Гриффиндору» еще шестьдесят баллов.

Овация была оглушительной. Тот, кто, надрывно визжа, был еще способен считать, уже понял, что у «Гриффиндора» теперь четыреста семьдесят два балла – и они сравнялись со «Слизерином». Они разделят кубок. Эх, если бы Думбльдор дал Гарри хоть на один балл больше!

Думбльдор поднял руку. В зале постепенно воцарилась тишина.

– Храбрость бывает разная, – улыбнулся Думбльдор. – Нужна невероятная отвага, чтобы встать на борьбу с врагами, но не меньше силы потребно, чтобы выступить против друзей. Поэтому я присуждаю десять баллов мистеру Невиллу Лонгботтому.

Человек, случайно оказавшийся за дверями Большого зала, вполне мог подумать, что там произошел взрыв – так заорали за столом «Гриффиндора». Гарри, Рон и Гермиона ликовали вместе со всеми, а Невилл, от потрясения белый, исчез – столько народу бросилось его обнимать. Он еще ни разу не получал для своего колледжа ни одного балла. Гарри, не переставая вопить, ткнул Рона под ребра и показал на Малфоя – тот остолбенел в ужасе, будто на него наложили полный телобинт.

– И это означает, – провозгласил Думбльдор, перекрывая невообразимый гвалт, ибо и «Хуффльпуфф», и «Вранзор» торжествовали падение «Слизерина», – что нам пора сменить декорации.

Он хлопнул в ладоши. В мгновение ока зеленые драпировки сменились алыми, а серебро – золотом; огромная слизеринская змея исчезла, и ее место занял могучий гриффиндорский лев. Злей с жутковатой натянутой улыбкой пожимал руку профессору Макгонаголл. Он перехватил взгляд Гарри, и тот сразу понял, что любви к нему у Злея не прибавилось ни на йоту. Но Гарри не тревожился. Казалось, в следующем году все будет нормально – нормально по меркам «Хогварца», естественно.

То был лучший вечер в жизни Гарри – лучше выигрыша в матче, и лучше Рождества, и лучше нокаутирования горного тролля... Он никогда ни за что не забудет этот вечер.

Гарри и не помнил, что еще должны объявить результаты экзаменов, но их объявили. К великому удивлению и Гарри, и Рона, они оба сдали довольно неплохо, а Гермиона, разумеется, оказалась лучшей среди первоклассников. Даже Невилл переполз в следующий класс: хорошая оценка по герботологии перевесила чудовищную по зельеделию. Все рассчитывали, что из школы вышвырнут Гойла, который был столь же туп, сколь и гнусен, однако и он все сдал. Обидно, но, как сказал Рон, даже в мечтах не стоит наглеть.

И вот гардеробы вдруг опустели, вещи сложились в сундуки, жабу Невилла изловили в углу туалета, а ученикам раздали напоминания о запрете колдовать на каникулах («Я всякий раз надеюсь, что про них забудут», – грустно вздохнул Фред Уизли). Огрид рассадил первоклассников по лодкам и переправил через озеро; они уселись в «Хогварц-экспресс», болтая и смеясь, а пейзаж за окном становился все зеленее и опрятнее; жуя всевкусные орешки, они проезжали мугловые городки; снимали колдовские одежды и натягивали куртки; и вот наконец подъехали к платформе девять и три четверти на вокзале Кингз-Кросс.

С платформы они выходили довольно долго. Морщинистый контролер пропускал через турникет по двое-трое, чтобы не привлекать лишнего внимания: вот бы испугались муглы, если б все вывалились из стены оравой.

– Приезжайте к нам летом обязательно, вы оба, – сказал Рон друзьям. – Я пришлю сову.

– Спасибо, – ответил Гарри. – У меня будет хоть что-то приятное впереди.

Друзья медленно шли к воротам в мугловый мир, а однокашники торопливо обгоняли их на ходу. Некоторые кричали:

– Пока, Гарри!

– Увидимся, Поттер!

– По-прежнему знаменитость, – ухмыльнулся Рон.

– Только не среди родных, уверяю тебя, – сказал Гарри.

Они втроем прошли в ворота.

– Вот он, мам, вот, смотри!

Это пропищала Джинни Уизли, младшая сестра Рона, но показывала она вовсе не на брата.

– Гарри Поттер! – верещала она. – Смотри, мам! Я вижу...

– Тихо, Джинни, не кричи. И показывать пальцем некрасиво.

Миссис Уизли им улыбнулась:

– Интересный был год?

– Очень, – ответил Гарри. – Спасибо за помадку и свитер, миссис Уизли.

– Не стоит, милый, пустяки.

– Готов, ты?

Это произнес дядя Вернон – как всегда багроволицый, как всегда усатый, как всегда возмущенный наглостью Гарри: гляньте на него, тащит огромную клетку с совой по вокзалу, а тут обычные, нормальные люди ходят. Позади стояли тетя Петуния и Дудли – похоже, перепуганные.

– Вы, должно быть, родственники Гарри! – сказала миссис Уизли.

– В некотором роде, – буркнул дядя Вернон. – Поторопись, парень, не весь же день нам тут торчать. – И ушел.

Гарри задержался попрощаться с Роном и Гермионой.

– Значит, увидимся летом.

– Желаю тебе... э-э... хорошо отдохнуть. – И Гермиона неуверенно поглядела вслед дяде Вернону – бывают же такие феноменальные грубияны.

– Ой, уж я постараюсь, – ответил Гарри, и друзья удивились, увидев, что по его лицу расползается торжествующая улыбка. – Они-то не знают, что нам нельзя колдовать дома. Мы с Дудли славно позабавимся этим летом...

Оглавление

Литературно-художественное издание

Для среднего школьного возраста

РОУЛИНГ Дж.К.

ГАРРИ ПОТТЕР
и философский камень
Роман

Редакторы *А. Грызунова, М. Немцов*
Художественный редактор *Н. Данильченко*
Технический редактор *Л. Синицына*
Корректор *Е. Туманова*
Компьютерная верстка *О. Краюшкина*

ООО «Издательская Группа «Азбука-Аттикус» –
обладатель товарного знака Machaon
119334, Москва, 5-й Донской проезд, д. 15, стр. 4
Тел. (495) 933-76-01, факс (495) 933-76-19
E-mail: sales@atticus-group.ru

Филиал ООО «Издательская Группа «Азбука-Аттикус» в г. Санкт-Петербурге
191123, Санкт-Петербург, Воскресенская набережная, д. 12, лит. А
Тел. (812) 327-04-55
E-mail: trade@azbooka.spb.ru

ЧП «Издательство «Махаон-Украина»
Тел./факс (044) 490-99-01
e-mail: sale@machaon.kiev.ua

ЧП «Издательство «Махаон»
Тел. (057) 315-15-64, 315-25-81
e-mail: machaon@machaon.kharkov.ua

www.azbooka.ru; www.atticus-group.ru

Знак информационной продукции
(Федеральный закон № 436-ФЗ от 29.12.2010 г.)

Подписано в печать 17.10.2016. Формат 84×108 1/32.
Бумага офсетная. Гарнитура «SchoolBook».
Печать офсетная. Усл. печ. л. 22,68.
Доп. тираж 25 000 экз. D-HPT-15438-14-R. Заказ №4473/16.

Отпечатано в соответствии с предоставленными материалами
в ООО «ИПК Парето-Принт». 170546, Тверская область,
Промышленная зона Боровлево-1, комплекс № 3А
www.pareto-print.ru